図解でわかる

14歳からの水と環境問題

インフォビジュアル研究所・著

図解でわかる
14歳からの水と環境問題

目次

Part 1 いま地球の水が危ない

Part 2 人と水の歴史

Part 3

水危機の現実とその原因

Part 4

水問題の解決のために

はじめに

「水の惑星」誕生から 40億年目に訪れた危機

広大な宇宙の中で、いまのところただひとつ 水の奇跡が起こった地球という惑星に 私たちは生きている

私たちが生きる地球が、太陽系に誕生したのは、約46億年前と考えられています。太陽系の軌道上を飛び回る岩石が衝突し、その熱で岩石は溶け、地球は真っ赤に溶けたドロドロのマグマの塊となって、太陽のまわりを回転していました。

この灼熱の小さな天体が、のちに「水の惑星」となり、生命を生み出すようになったのは、幸運な位置のおかげでした。太陽系の惑星たちは、中心にある太陽のエネルギー放射を受け続けます。惑星の位置が太陽に近すぎると、水は蒸発してしまいます。逆に遠すぎると水は凍り、氷の惑星となってしまいます。

その点、地球は、水が水として存在できる絶妙な位置にあったのです。

地球が水の惑星となり、生命を生んだ40億年

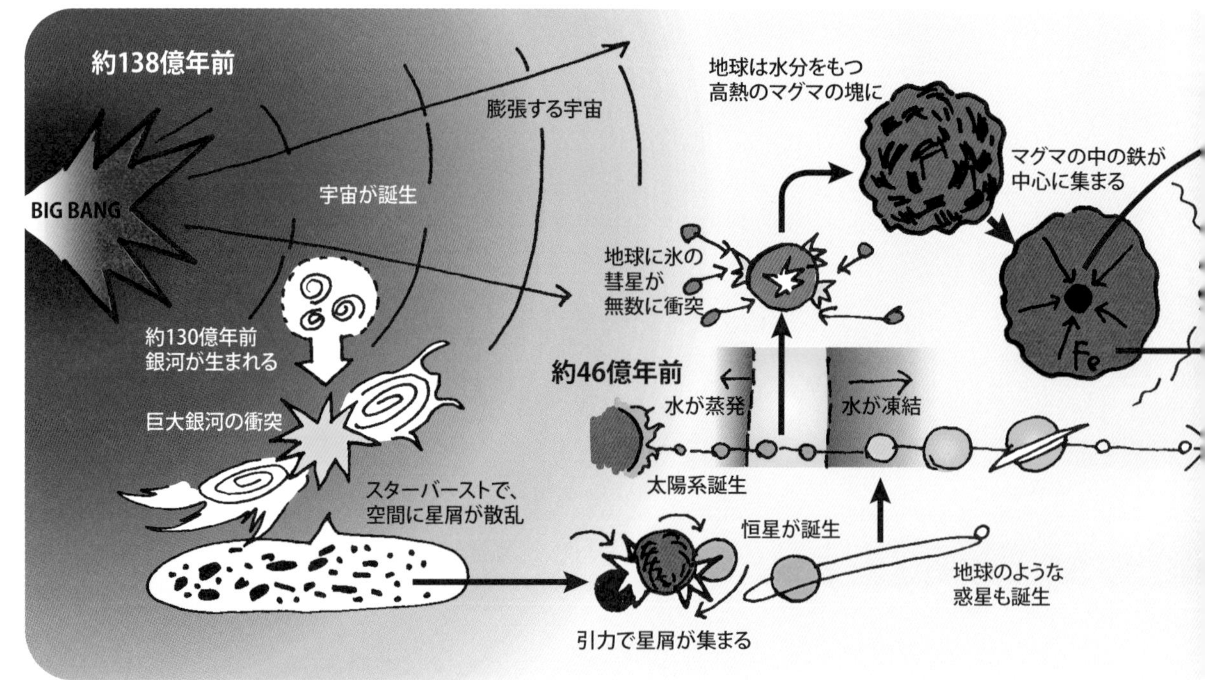

マグマの塊だった地球に、宇宙空間に無数にあった氷の小惑星が衝突し、水がもたらされました。地球は少しずつ冷えて、マグマの中の鉄が中心に集まって核（コア）をつくり、表面に水が現れます。こうして約40億年前に、地球に海が生まれました。

海の出現は、地球に次々と大きな変化をもたらしました。まず、大気の大部分を占めていた二酸化炭素を海が吸収します。その結果、大気の温室効果が薄れ、地球はますます冷えてきます。それでも当時の海の水温は100度以上あったのですが、現在の生物学では、地球の生命はこの高温の海、それも海底の熱湯の吹き出す場所で誕生したのではないか、と考えられています。

こうして約36億年前に原初の生命が誕生して以来、生命は水の中で進化してきました。そして、多様な藻類が、多量の酸素を大気中に放出したことで、生命は水から這い出すことができるようになります。

陸上でもさまざまな生物が誕生し、進化と滅亡を繰り返します。人間の祖先がこの地上に誕生したのは、約700万年前のこと。私たちホモサピエンスといえば、地球の歴史から見れば、たった20万年前に登場した新参者です。

ホモサピエンスが登場するまでの間に、地球は生命が生きる環境を、水を核とした精緻なシステムとしてつくりあげてきました。生態系の中を循環する水の流れ、生命体のエネルギー代謝を実行する水の働き。地球と水と生命は、切り離すことのできないシステムとして動いてきたのです。

ところが、私たち人間が、約200年前から産業活動を始めるようになってから、地球が40億年かけてつくりあげた水のシステムに異変が生じ始めています。

いったい地球の水のシステムに、いま何が起きているのでしょう。これからその実態を詳しく見ていきましょう。

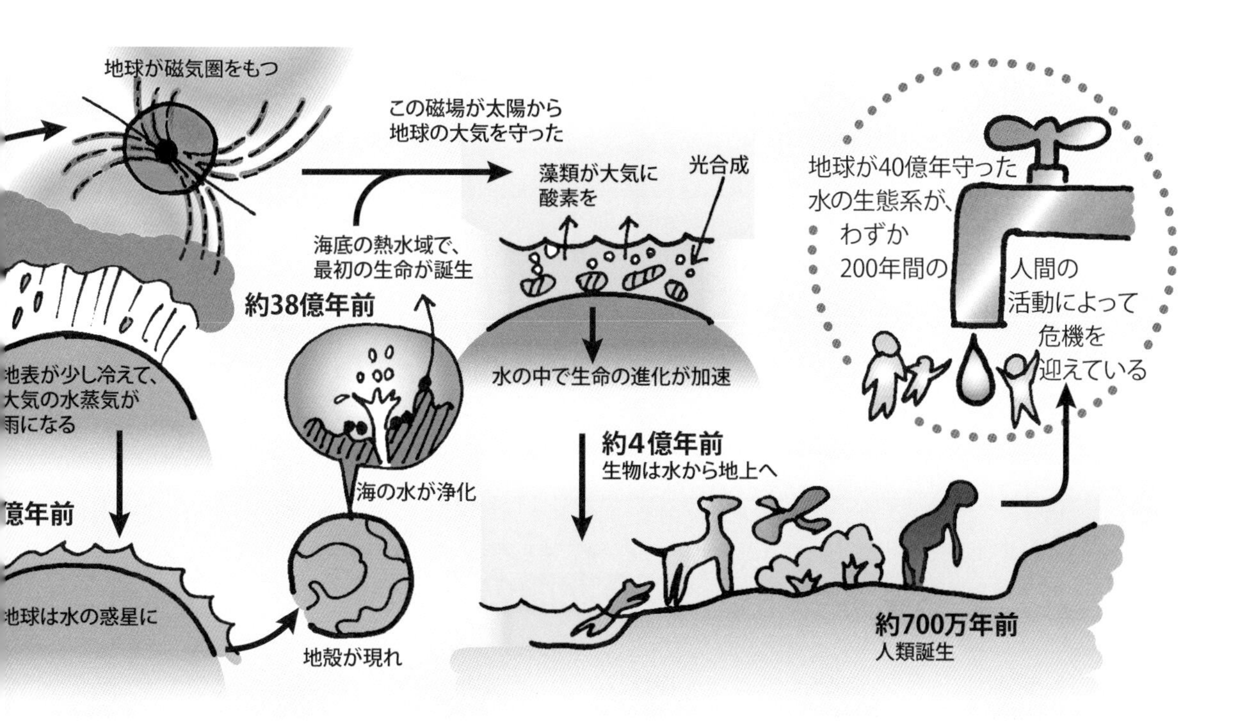

地図で見る水問題 世界各地で異変が起きている

水をめぐるさまざまな問題

いま世界中で、「水」が問題になっています。下の地図は、水をめぐる問題、いわ

民族紛争・内戦は水の戦争でもある

イスラエルとパレスチナの争いは、水源のゴラン高原と、占領地での水資源をめぐる争いでもある
詳しくは p14

中国が抱える複合的な水危機

増加する人口に比しての水資源の少なさ。工業化による水資源の汚染。北部での地下水の枯渇の危機
詳しくは p10 p16 p70

最大のアラームはアフリカから鳴っている

トイレのない生活を送る人々がたくさんいる
詳しくは p24

水をくむために何キロも歩く子どもたちが、たくさんいる
詳しくは p26

不衛生な水環境のために、たくさんの子どもたちが亡くなっている
詳しくは p66

アフリカを苦しめる長期間の干ばつ

サハラ以南の国々を未曾有（みぞう）の干ばつが襲っている。農業への打撃も大きい

ゆる「水問題」が起きている国や地域を示したものです。ひと口に水問題といっても、さまざまあります。最大の問題は、アフリカなどで深刻化する水不足です。飲み水がなければ命にかかわりますし、作物を育てる水がないと、食糧不足にもつながります。

一方、水不足とは反対に、雨が降りすぎても、深刻な問題を引き起こします。日本では、近年、大型台風や豪雨による被害が増えていますが、同様の水害が、世界各地で頻発しています。

自然界の異変は、北極圏などの氷が溶け出し、海面が上昇していることにも表れています。さらに、人間が引き起こしている水問題もあります。川や海を汚したり、地下水をくみ上げすぎたり、はては川の水をめぐって争いが起きたりもしています。

このように水問題は幅広く、それぞれが互いに関係し合うこともあります。次のページからは具体的な例を見ていきましょう。

北極圏の氷・凍土が溶ける

地球温暖化の影響で北極圏の氷が溶け始めている。そのために海面の上昇が観測される

詳しくは p56

地下水脈の枯渇で、アメリカ農業に危機が

中西部の穀倉地帯を灌漑するオガララ帯水層が、あと50年で枯渇の危機に

詳しくは p16

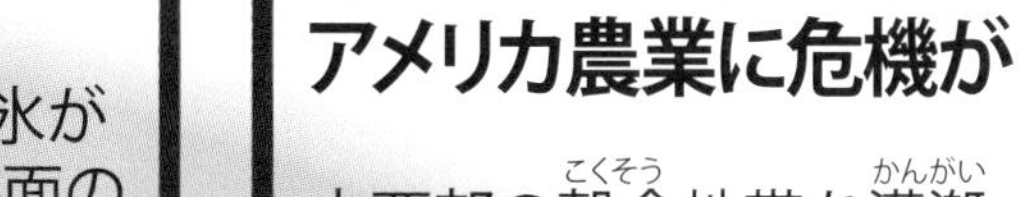

日本では近年、水害が増加している

温暖化による気候変動の顕著な影響が考えられる

詳しくは p54

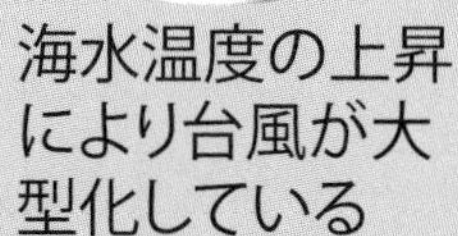

海水温度の上昇により台風が大型化している

温暖化は地球の生態系を変える

温暖化は地球の水環境を変化させて、生物種の絶滅が多発する

詳しくは p60

海面上昇でニューヨークが沈む!?

リオ・デ・ジャネイロも沈む!?

詳しくは p56

水の惑星なのに使える水は少ない

使える水はわずか1万分の1

地球は、水の惑星と呼ばれます。地球のように豊かな水があり、多種多様な生物が存在している惑星は、少なくとも太陽系にはほかにありません。

この水の惑星には、約14億㎦の水があるといわれています。液体としての水だけでなく、凍って氷になっているもの、大気中に水蒸気として存在しているものも含めた数字です。とても多いように思えますが、そのうちの約97.5％を占めるのは、海の水です。塩分を多く含んでいるので、そのままでは飲むこともできません。

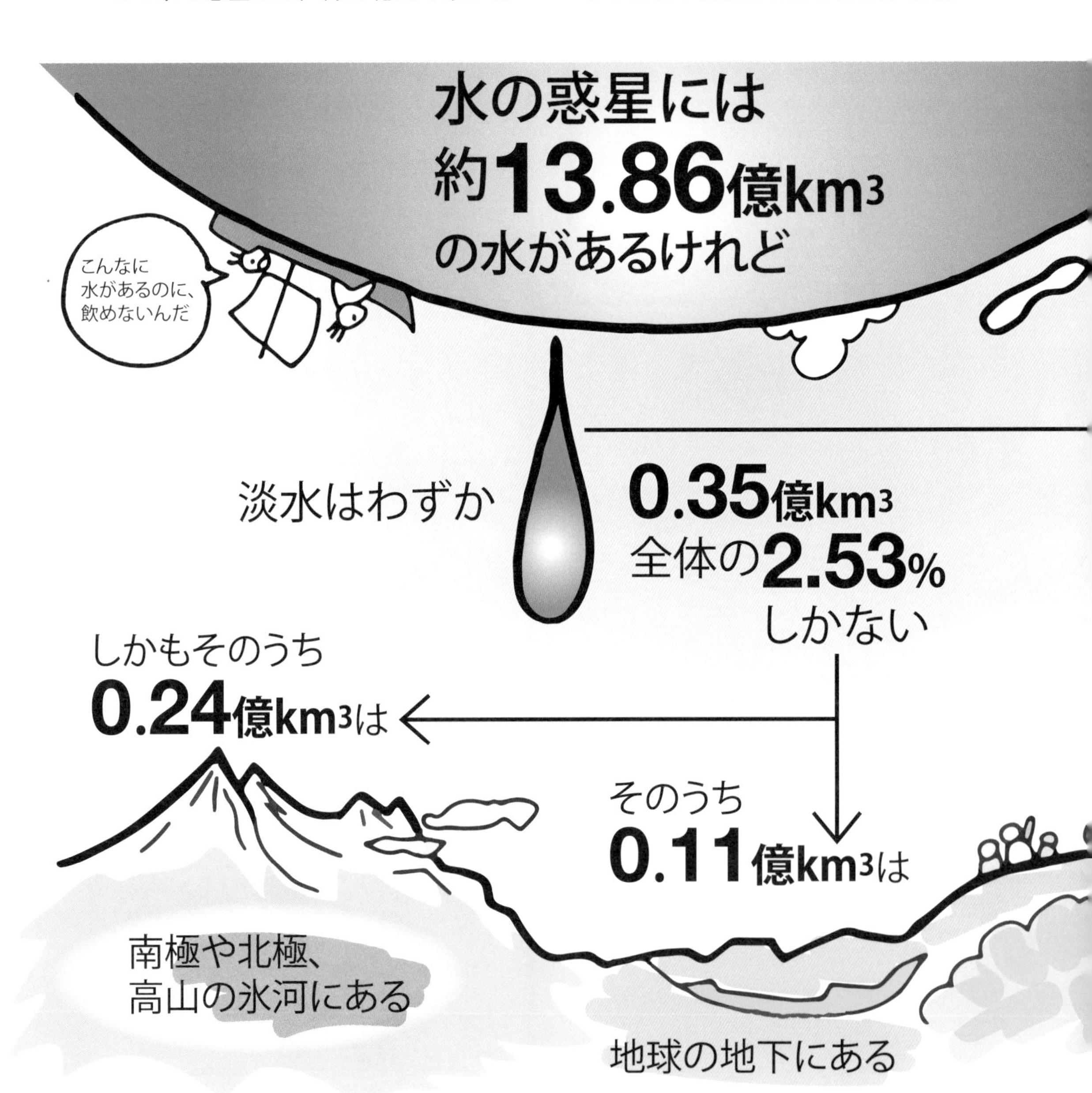

ではいったい地球上には、私たちが利用できる水がどれだけあるのでしょう。それを示したのが、下のイラストです。

海水以外の水、つまり塩分濃度が低い淡水は、地球全体の水の量のうち、約2.5％しかありません。しかもそのうちの７割近くを占めるのは、南極や北極、高地などの氷山や氷河です。次に多いのは地下水ですが、地中深くに埋まっているので、簡単には使えません。となると、人間が利用しやすい状態で存在している水は、川や湖や沼のような地表水に限られてきます。これが約10万km^3、地球全体の水の量のうち、わずか1万分の１にすぎないのです。

この限られた水を、地上のあらゆる生物が分け合っています。生物にとって、水は生命を維持するために欠かせないものですが、人間は飲み水だけでなく、お風呂や洗濯、トイレなどの生活用水、農業や工業などの産業用水にも、大量の水を使っています。しかもその使用量は、世界規模の人口増加によって年々増えているのです。

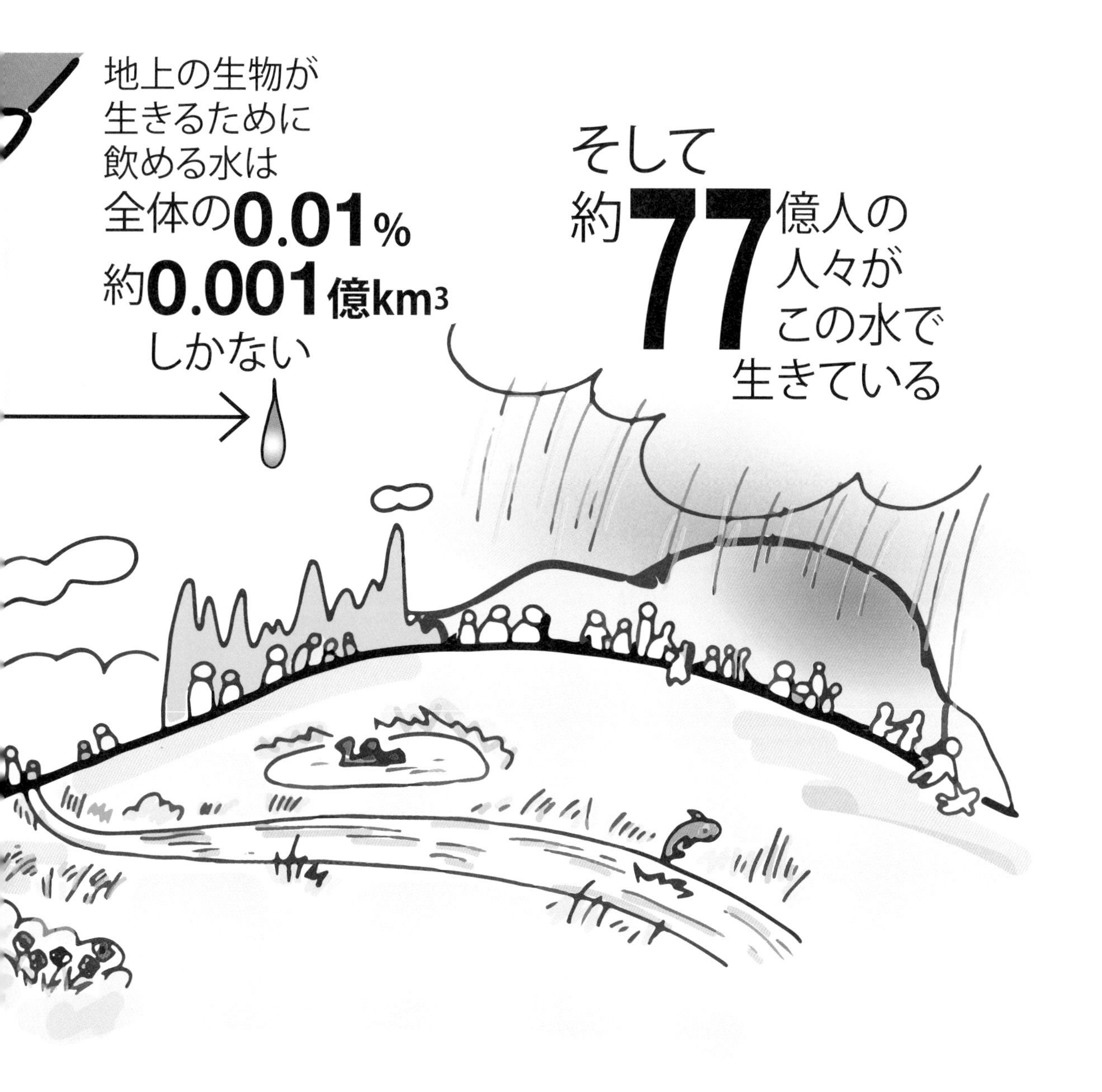

平等ではない世界の水配分

水が多い場所と人の住む場所のズレ

地球上で使える水は限られていますが、世界中の人々をまかなうだけの量はあります。ところが、世界には水の恩恵(おんけい)を十分に受けられない人々が少なくありません。

使える水の量を左右するのは、降水量です。下の地図に示したように、地球上には雨や雪が多く降る地域もあれば、ほとんど降らない地域もあります。水が多く集まる場所が、偏(かたよ)っているのです。その結果、地球全体では水が十分あるのに、場所によって水の量が違う、という不平等が生じます。

十分に使える水があるかどうかを示す指

水が不足しているのではない。さまざまな理由で世界の水の配分は、こんなに偏っている

理由1
人口密度と降水量のアンバランス

理由2
地球温暖化による気候の変動

理由3
都市人口の拡大と水需要の急拡大

理由4
地域紛争による水争いのため

理由5
急激な工業化による水資源の汚染

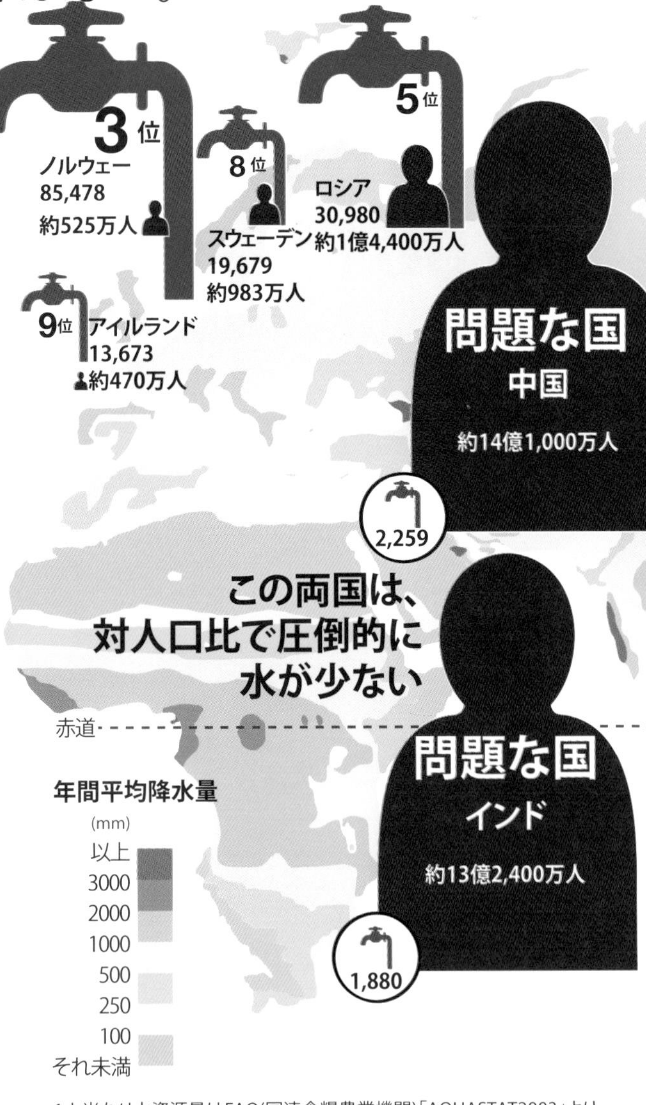

1人当たり水資源量はFAO(国連食糧農業機関)「AQUASTAT2003」より
人口はWHO(世界保健機関)人口統計2018より

標となるのが、下の地図に示した「人口1人当たりの利用可能水資源量」です。

生活用水、農業、工業、発電などに必要な水資源量は、年間1人当たり1700㎥が最低基準とされています。これを下回ると「水ストレス」、1000㎥を下回ると「水不足」、さらに500㎥を下回ると「絶対的な水不足」の状態を表します。ここでいう水ストレスとは、実際の水資源量が十分とはいえない状態を指しますが、仮想水（p24参照）なども含めた総合的な水危機を表す言葉として用いることもあります。

水資源が不足している国は、降水量の少ない地域と、ほぼ重なり合います。注意が必要なのは、水資源の多い国でも、すべての人に水が行きわたっているわけではないということです。例えば、水資源が最も多い国はブラジルですが、水が豊富にあるアマゾンの熱帯林に住む人は少なく、水が少ない沿岸部に人口が集中しています。同じ国のなかでも、水のある場所と人の住む場所にズレがあるのです。

世界人口と年間降水量、そして1人当たりの水資源量は、こんなにアンバランス

1人当たりの水資源量ベスト10と、問題ありの2大国

（水資源量の単位：㎥）

カナダ
94,353
1位
約3,630万人

日本は
3,332
約1億2,770万人

日本人1人が使える水の量はアメリカの3分の1程度

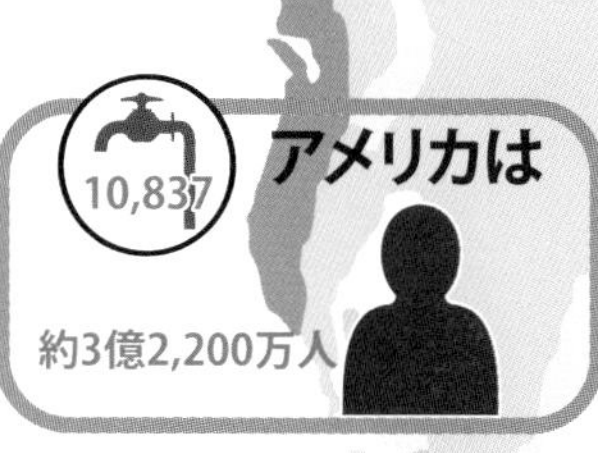

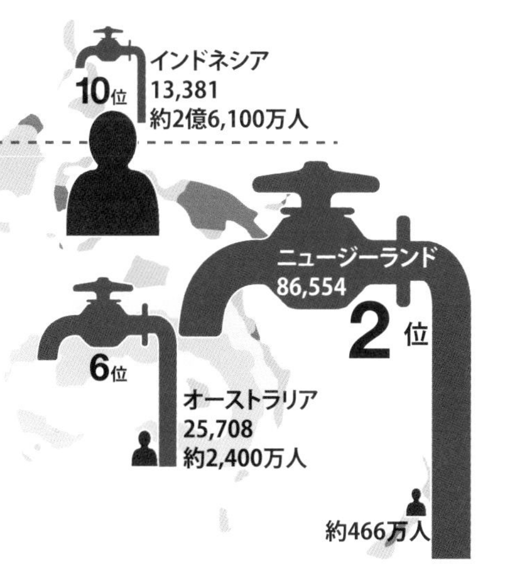

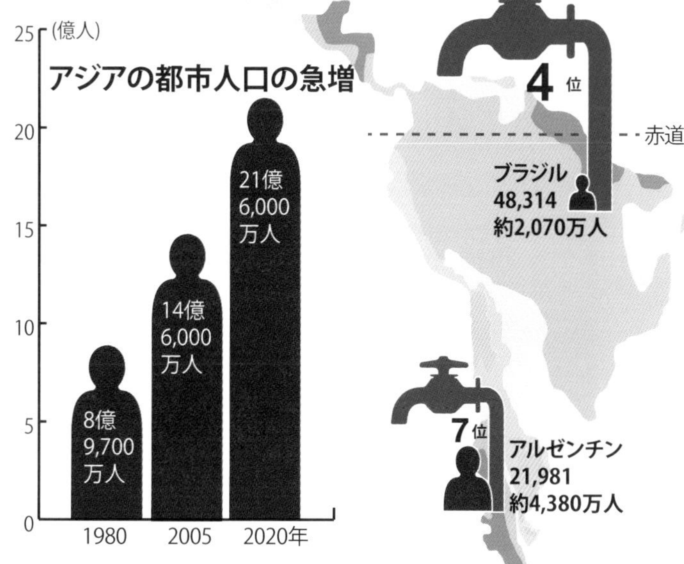

年々増える水害 水が凶暴化するわけは？

世界で相次ぐ洪水被害

近年、日本では、猛烈な勢力をもつ台風や局地的大雨による水害が増えています。記憶に新しいところでは、2019年10月、日本に上陸した台風19号が、関東甲信地方や東北地方に大雨を降らせ、河川の氾濫や土砂崩れなどを引き起こし、甚大な被害をもたらしました。

日本だけではありません。2002年には、ヨーロッパで豪雨による大洪水が発生。2005年には、アメリカを襲った大型ハリケーン「カトリーナ」によって、多くの家屋が水没し、史上最大規模の経済損失

世界では洪水被害が増加し続けている

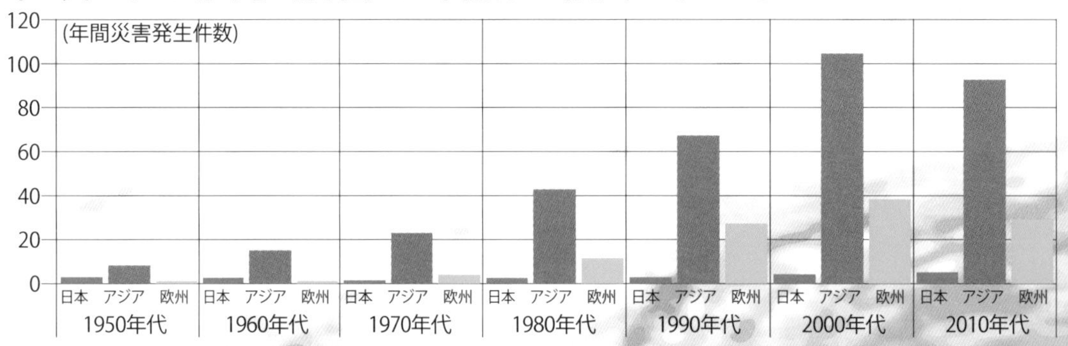

1 2005年（アメリカ） ハリケーン・カトリーナ

水没したニューオーリンズ市街

湖や工業水路の堤防が崩壊し、ニューオーリンズの街は約80％が水没した。被害のあった全州を合わせると、死者は1800人以上にものぼった

2 2012年（アメリカ） ハリケーン・サンディ

ニューヨーク州・ニュージャージー州の都市部が浸水、公共交通機関も運行停止に。マンハッタン一帯が停電し、証券取引所の取引も２日間の停止に追い込まれた

3 2019年（バハマ諸島） ハリケーン・ドリアン

バハマ諸島、マイアミを直撃

ハリケーンの指標としては最大の「レベル５」を記録。進行速度が時速８～９㎞と遅かったため被害は拡大し、約７万人が豪雨と強風により住宅を失った

が生じる事態となりました。アジアでも、2008年にサイクロン「ナルギス」がミャンマーを襲い、14万人近い死者・行方不明者を出しています。

人間が被害を拡大している？

ベルギーのルーバン・カトリック大学疫学研究所の調査によると、21世紀になってから、洪水の発生件数が急増しているといいます。水害は、自然災害のひとつとして避けられないものですが、年々発生頻度が増え、激しさを増しているのは、地球温暖化による気候変動が影響していると考えられています。これについては、p54〜55で詳しく見ていきます。

また、水害の被害規模が大きくなっているのは、人間が開発によって自然環境を変えてしまったこととも関係しています。河川の自然な流れを制限する堤防やダム、雨水の吸収を損なう森林伐採、排水を妨げる都市のアスファルト化など、さまざまな原因が、被害を拡大させているのです。

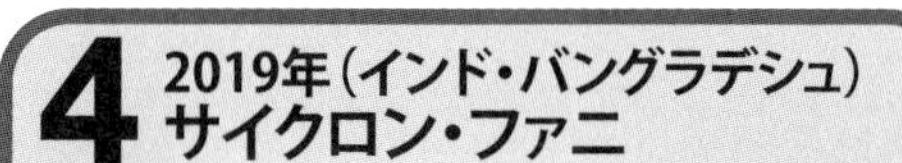

ベンガル湾を直撃、1,700万人が被災した

インドのオデッサ州で約120万人、バングラデシュで約160万人以上が避難。マングローブ林が広がる自然保護区・シュンドルボンにも甚大な被害が

5 2008年（ミャンマー） サイクロン・ナルギス

死者・行方不明者
13万8,000人の被害

ベンガル湾で発生したサイクロンが、通常と異なる進路をとって、ミャンマーに上陸。ミャンマーには災害への備えが少なかったことから、大きな被害につながった

6 2010年（中国） 長江上流大洪水

数日間の豪雨により、中国最大の川・長江の流水が増加。一部地域では降水量が300㎜以上に達し、ダムの水位も竣工以来最高レベルに

三峡ダム
武漢
上海
重慶
長江
三峡ダムの放水で洪水に
三峡ダムがせき止めて洪水に
////// 洪水

28省1億2,400万人が被災

7 2019年（日本） 台風19号

東日本の広範囲で記録的な降水量を観測し、13の都県に大雨特別警報が発令された。上陸地点の静岡県では過去最高潮位を記録。被害の大きさから、「令和元年東日本台風」と命名された。

71河川140ヵ所で決壊
9万戸が洪水被害にあう。
死者・行方不明者は95人

水の利用権をめぐって世界各地で水争いが起きている

 21世紀は水戦争の時代

日本のような島国と違い、多くの国は隣国と国境を接しています。国境をまたいで何カ国もの間を流れる川のことを国際河川といい、流域の国々で水を分け合っています。しかし、上流で水が汚染されたり、川が堰き止められたりすると、下流で水が使えなくなってしまいます。そのため古くから水をめぐる争いが繰り返されてきました。

1967年の第3次中東戦争も、もともとはユダヤ国家イスラエルとアラブ国家パレスチナの民族紛争から始まったものですが、その実態は、乾燥地帯では貴重な水資源の

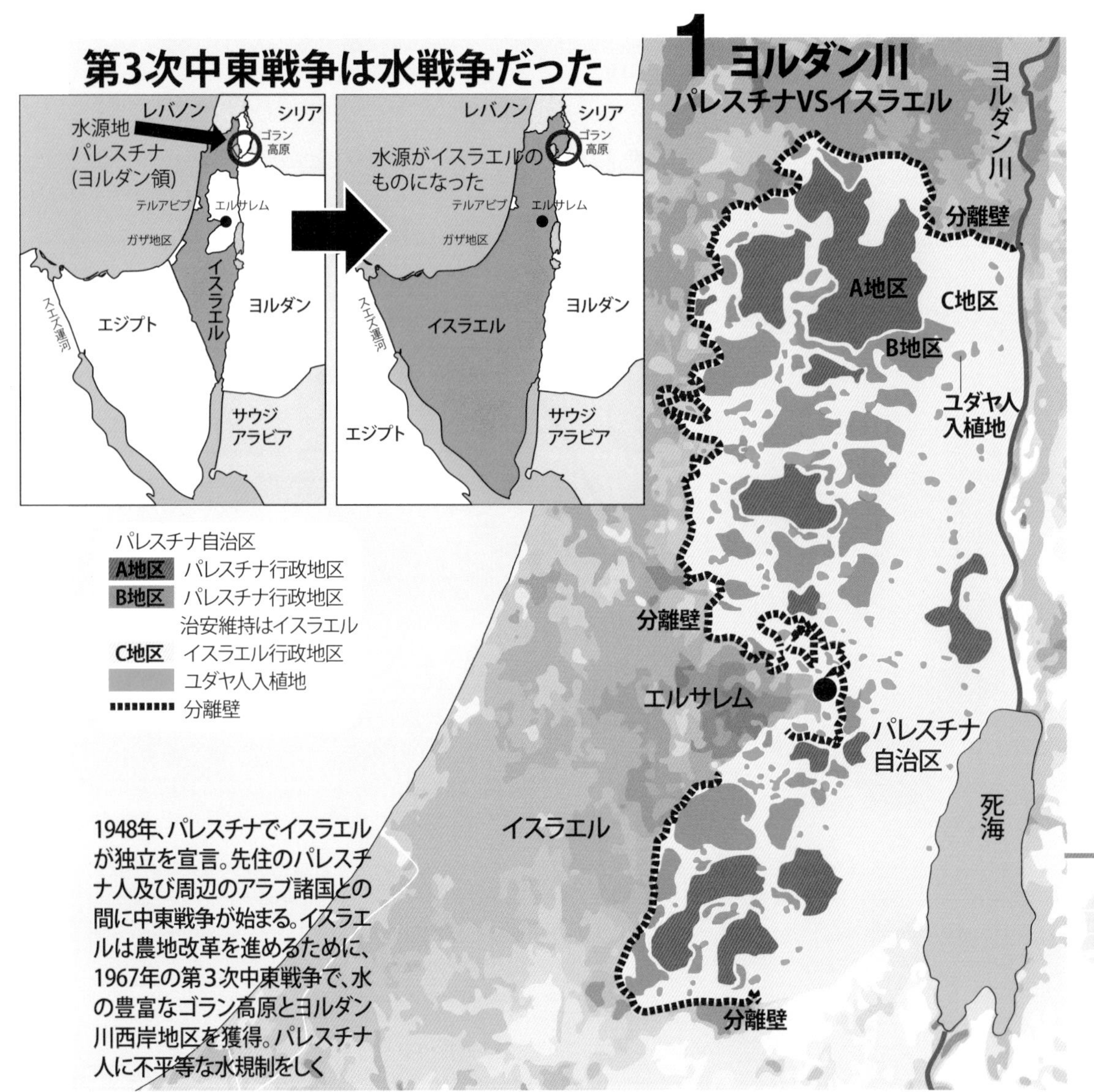

水資源を握ったイスラエルは、パレスチナに対して、イスラエルの3分の1という、厳しい給水条件を押しつけている

奪い合いでした。イスラエルは、水の豊富なヨルダン川西岸地区、ゴラン高原などを占領して戦争に勝利し、以来、この地域の水資源を支配。パレスチナ人は、水使用を著しく制限され、不平等が生じています。

エジプト文明発祥の地となったナイル川流域でも、長年にわたって水争いが続いています。ナイル川はアフリカ11カ国を流れる長大な川ですが、植民地時代の取り決めによって、下流のエジプトとスーダンが水の利用権を握り、エチオピアなどの上流国との間に対立が起きています。

同様にティグリス川とユーフラテス川流域ではトルコとシリア、イラクが、インダス川流域では、インドとパキスタンが、水利権をめぐって対立。中央アジアでは、ソ連時代の無謀な灌漑と、ソ連崩壊後に独立した流域国の水争いによって、アラル海が枯渇寸前にまで追い込まれています。

こうした水争いは各地で起きており、20世紀が石油戦争の時代なら、21世紀は水戦争の時代になる、とさえ言われています。

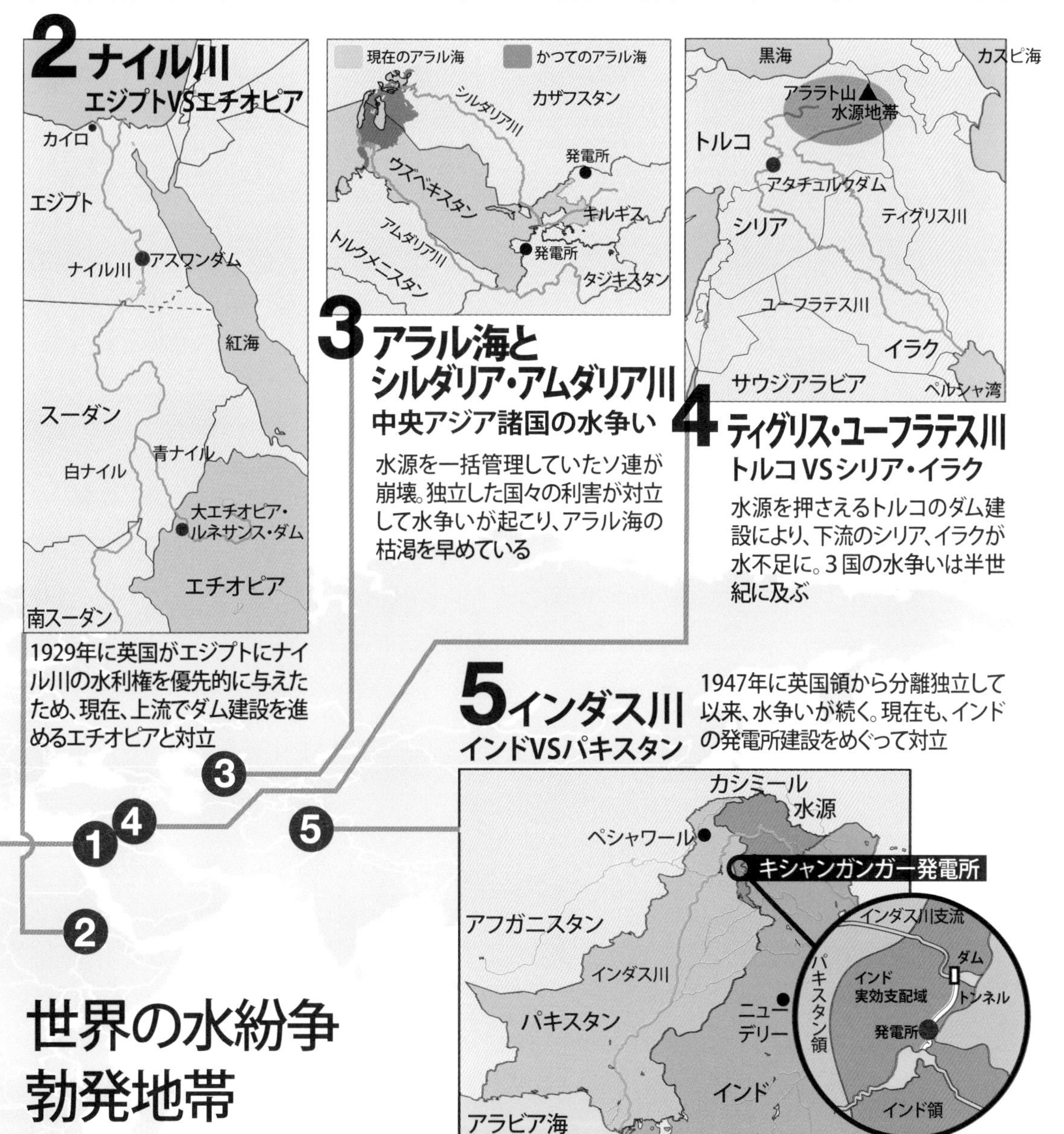

世界の水紛争勃発地帯

アメリカと中国 2大経済大国の水がなくなる!?

アメリカでは使い続けた地下水が枯渇

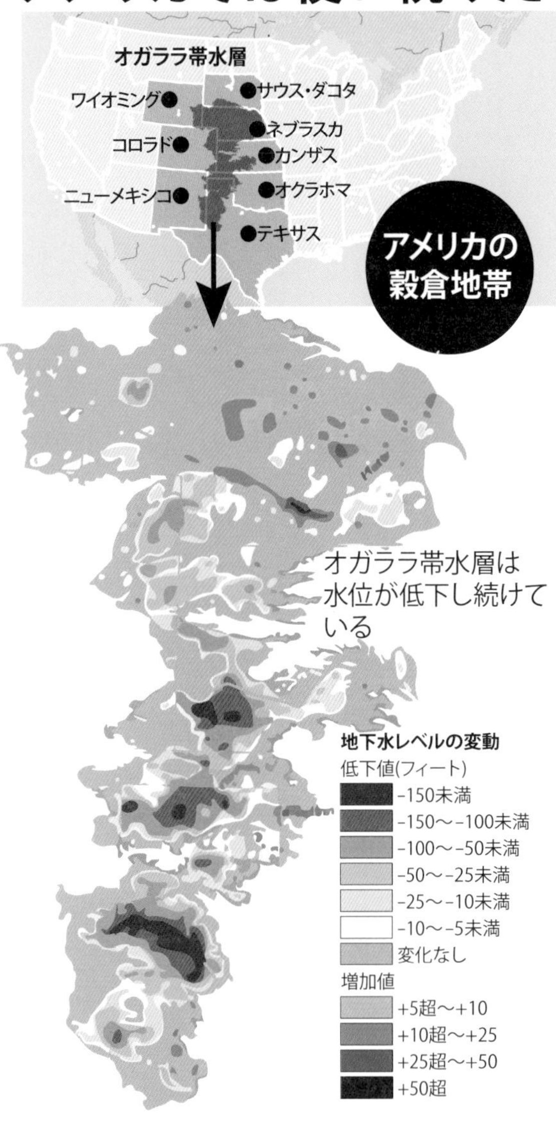

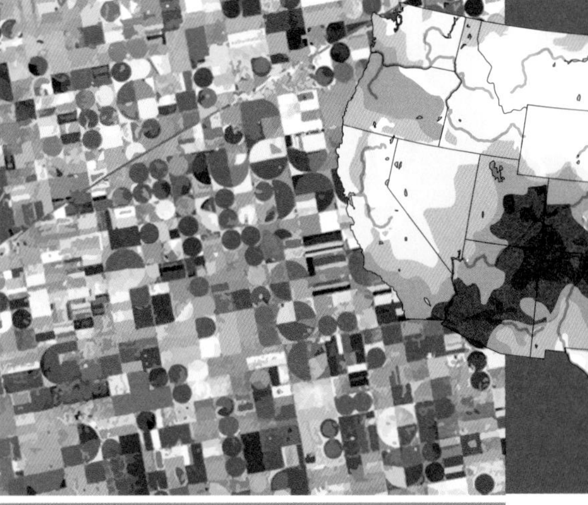

センターピボット灌漑方式

アメリカ中西部農業を支える地下水灌漑方式。くみ上げ口(ピボット)を中心に回転して、畑を円形に灌漑する

アメリカの灌漑農業が限界に

アメリカの農業を担う穀倉地帯で、いま異変が起きています。地下水を強力なポンプでくみ上げ、回転スプリンクラーで散布する「センターピボット農法」という灌漑農業によって、各地の地下水が枯渇しそうになっているというのです。

特に深刻な打撃を受けているのは、アメリカ中部にある世界最大級の地下水層、オガララ帯水層です。過剰な水のくみ上げによって、地下水位が年間1.5mも下がっている地域もあり、このままではあと50年で枯渇するとも言われています。何万年もかけて地中に蓄えられた水が、わずか数十年で消えようとしているのです。

中国の水不足が深刻なわけ

1 そもそも、人口に比し水が少ない

人口は世界の約20%なのに

中国には世界の淡水の6%しかない

このままいくと2030年には人口は16億人

水ストレスライン 1700m³

1人当たりの年間水資源量は、水ストレスぎりぎりの1760㎥になるという予想も

アメリカは日常的な日照りに悩まされている

アメリカ日照り地図

乾燥傾向
日常的な乾燥
特異な乾燥
厳しい乾燥
前例のない異常乾燥

2 そもそも、中国は水資源が南に偏在している

首都北京は常に水不足

松花江❸

黄河の水不足

遼河❻

水資源の20%しかない

❼海河

水源地の乾燥

黄河❹

❺淮河

❷長江

水資源の80%が長江流域にあるその長江も渇水している

❶珠江

3 水資源の汚染が進んでいる

7大水系の汚染状況 単位%

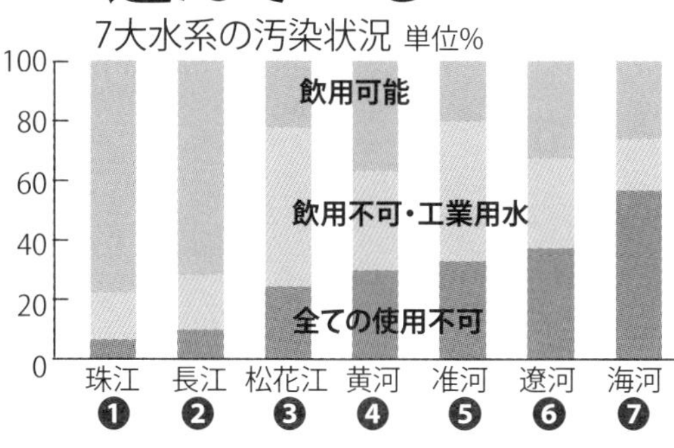

人口増加で水不足必至の中国

一方、中国は７つの大河をもち、水に恵まれているように見えますが、水資源の約８割は、長江や珠江が流れる南方に偏り、雨の少ない北方は、深刻な水質汚染や水不足に悩まされています。

一番の問題は、１人当たりの水資源量の少なさです。中国の人口は約14億人と世界人口の約20%を占めるのに対し、水資源は世界全体の6%しかありません。このまま人口が増え続ければ、2030年には16億人に達し、1人当たりの水資源量は、水ストレスのレベルに近づくとされています。

２大経済大国が深刻な水不足に陥ったとき、世界に及ぼす影響は計り知れません。

水をビジネスにした水企業が世界を覆う

急成長が見込まれる水ビジネス

20世紀は石油の時代と言われ、巨大な石油企業7社が世界を席巻していました。水の時代といわれる21世紀、動向が注目されているのは、水に関わるビジネスによって業績を伸ばしている水企業です。

水ビジネスとは、ペットボトル入り飲料水のように、水そのものを販売する事業だけでなく、農業用水や工業用水、上下水道、水処理などを扱うさまざまな事業があり、世界全体で50兆円を超える一大市場をなしています。なかでも規模が大きく、急成長が見込まれているのが、上下水道の建設、管理、運営などに関わる分野です。

現在、世界各地で水不足や水質汚染が、深刻な問題になっています。そのため、安全な水を届けるための設備やサービスを提供する事業の需要が高まっているのです。

ドイツ
Siemens
シーメンス社
1847年設立の巨大総合電機メーカー。ヴェオリア傘下の水企業を買収し、アメリカ、中国などで水処理事業を展開したが、2013年に業務縮小

フランス
Veolia
ヴェオリア社

Veolia　世界最大の水企業
1853年、ナポレオン3世の勅令により、リヨンの水道事業会社として設立。欧州、中国、アメリカなど世界1億3000万人以上に水を供給

南米へ

インド
VA Tech Wabag
VAテック・ワバッグ社
1924年設立のドイツ企業を前身にもつインド最大の水処理企業。東南アジア、中東、アフリカに進出

フランス
Suez
スエズ社

Suez　世界第2の水企業
1880年、カンヌの上水道・電気・ガス供給会社として設立。本国のほか、スペイン、中国、インド、アメリカ、中南米などに進出

南米へ

シンガポール
Hyflux
ハイフラックス社
1989年設立。高い水処理技術をもち、シンガポールを拠点に、中国、中東、アフリカなどに進出

水ビジネスの構造と市場規模予測 2025年

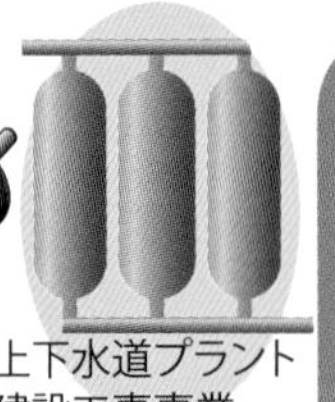

逆浸透膜などの資材製造販売事業

詳しくはp81

上下水道プラント建設工事事業

水道システム管理運営事業

世界で111兆円以上のビジネスに

2大水企業を中心に競争が激化

水道ビジネスの先駆者ともいえるのが、世界2大水企業として知られるフランスのヴェオリア社とスエズ社です。日本では、上下水道ともに自治体が管理・運営するのが一般的ですが、フランスでは、この2社をはじめとする民間企業が、国内の水道事業の半分以上を請け負っています。

もともとヴェオリア社は、1853年にリヨン市の水道事業を担うために設立され、一方のスエズ社は、1880年にカンヌ市の水道、ガス、電気を供給する会社として設立されました。ともに長い歴史と実績をもち、フランス国内だけでなく、ヨーロッパ、アメリカ、中国などにも進出し、世界の水道民営化市場を牽引しています。

この2社に加え、ドイツのシーメンス社、アメリカのゼネラル・エレクトリック社のような巨大企業も水ビジネスに参入。さらに各国でローカル水企業が誕生し、水ビジネスをめぐる競争が激化しています。

巨大水企業が水道関連事情の覇権を争っている

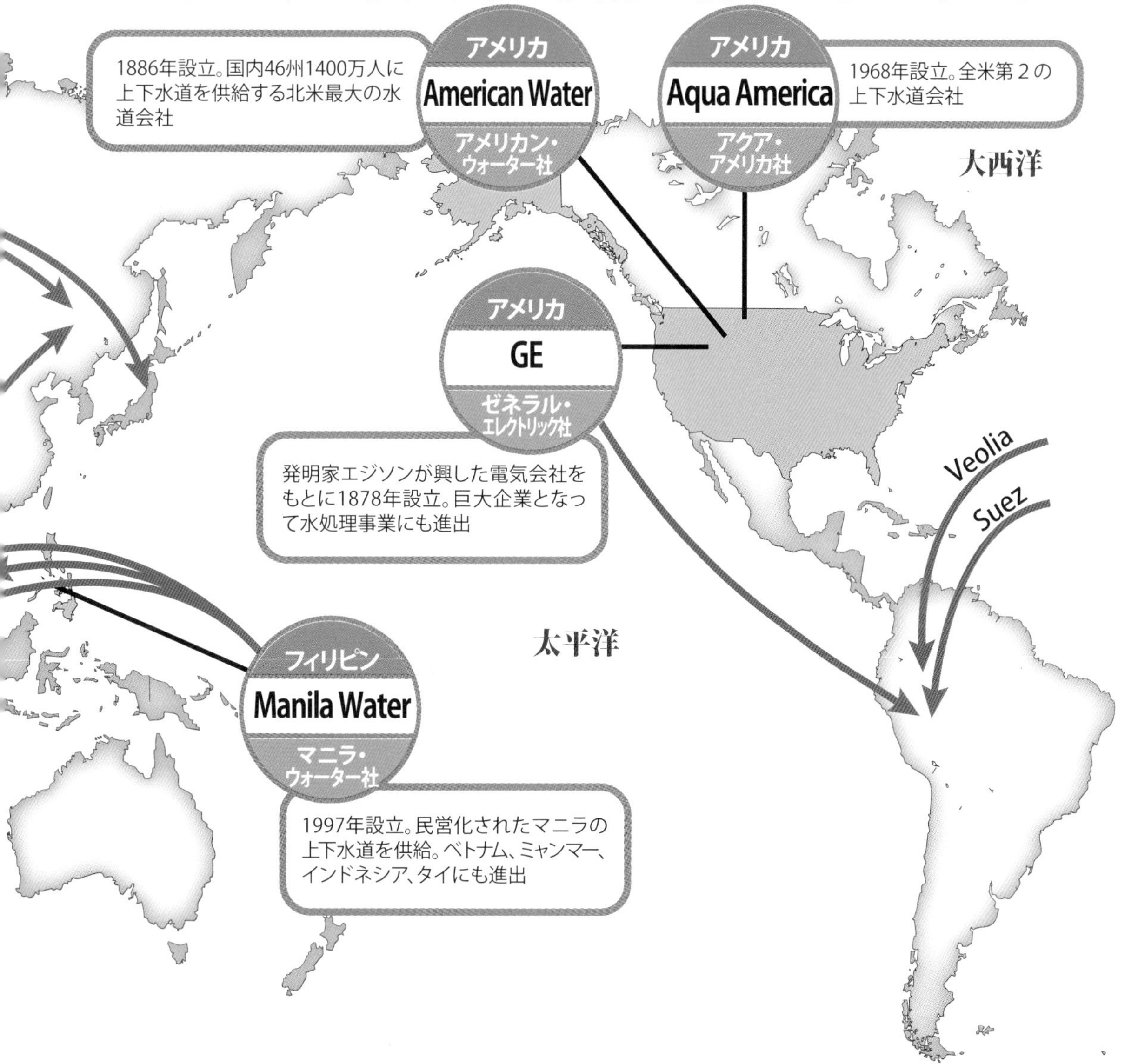

拡大するボトルウォーター市場 世界の水は誰のもの？

環境をめぐる諸問題が噴出

近年、健康志向の高まりとともに、安全で体にいいとされるボトルウォーターの需要が急速に増えています。そのため、さまざまな飲料水ブランドをもつグローバル企業と、本国を中心に展開する大小のローカル企業が入り乱れ、水源の争奪戦が繰り広げられています。

世界最大の人口をもつ中国では、ボトルウォーターの消費量が爆発的に増え、いまや世界全体の４分の１を占めています。中国では水源の汚染が問題になっているため、これまでボトルウォーターの大半は輸入に頼ってきました。近年では中国企業が巻き返しを図り、よその国で水源を買収したり、飲料水工場をつくって水をくみ上げたりして問題になっています。

ボトルウォーター消費量世界第2位のアメリカでも、国内各地の水源をめぐって、飲料水メーカーと地元住民との間で、訴訟騒ぎが起きています。地下水や湧き水など、地域の水源を企業が独占し、値段をつけて売ることに疑問の声が上がっているのです。

また、ボトルウォーター１本をつくるために、ペットボトルの製造から輸送、廃棄にいたるまで、多くのエネルギーが消費されることや、大量のペットボトルが海洋ごみとなっていることも問題視されています。そのため、飲料水メーカーが水源の環境保全やペットボトルのリサイクルなどに乗り出す一方、世界各地で「水を買わない」運動が広がり、波紋を呼んでいます。

世界のボトルウォーター消費国TOP10 2017年

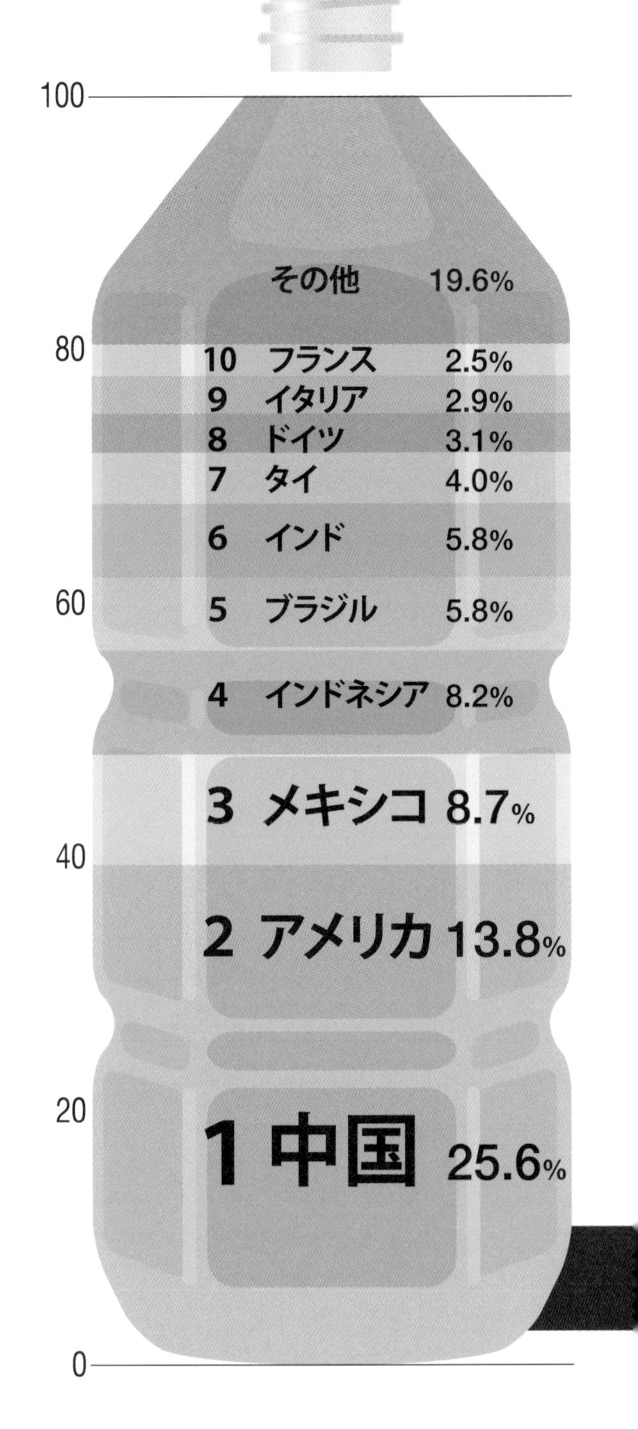

拡大し続けるボトルウォーター市場

2017年には
2,385億ドル
2021年には
3,500億ドル と予測

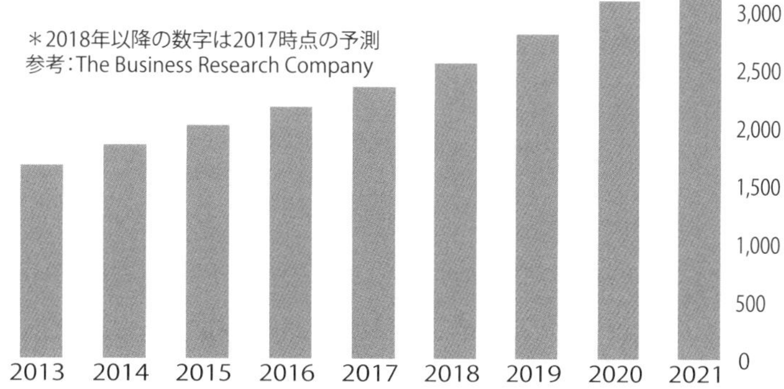

ボトルウォーターの主要企業と水ブランド

ネスレ
スイスに本社を置く世界最大の食品・飲料メーカー。
ボトルウォーター市場のシェア世界一

Contrex（コントレックス）
18世紀にフランスのコントレックスヴィルで発見されたミネラル豊富な湧き水が水源

Perrier（ペリエ）
水源フランスのヴェルジェーズ。19世紀以来の歴史をもち、140カ国以上で販売

Vittel（ヴィッテル）
水源フランスのヴィッテル村。80カ国以上で販売

Sanpellegrino（サンペレグリノ）
水源イタリアのサンペレグリノ。150カ国以上で販売

Poland Spring（ポーランド・スプリング）
アメリカの主力飲料水ブランド。メイン州の複数の水源を利用

Minere（ミネーレ）
1992年に販売され、タイの中価格帯ブランドに

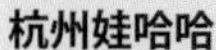

杭州娃哈哈
中国最大の飲料メーカー。
ダノンとの合弁を解消して躍進中

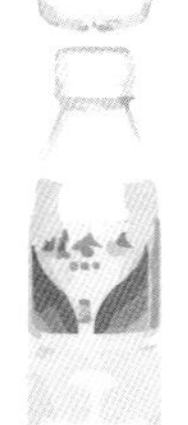

娃哈哈（ワハハ）
中国のボトルウォーター市場を席捲

ダノン
フランスに本社を置く巨大食品・飲料メーカー。
ボトルウォーター売り上げでネスレを追う

Evian（エビアン）
水源フランスのエビアン・レ・バン。18世紀に発見され、病気治癒にも使われた

Volvic（ボルヴィック）
水源フランスのボルヴィック村。ヨーロッパをはじめ60カ国で販売

Aqua（アクア）
インドネシアの主要ブランド。1998年、ダノンの傘下に

Bonefont（ボナフォント）
メキシコの主要ブランド。1995年、ダノンの傘下に

コカ・コーラ
アメリカの清涼飲料水メーカー。
炭酸飲料から総合飲料メーカーへの転身を目指す

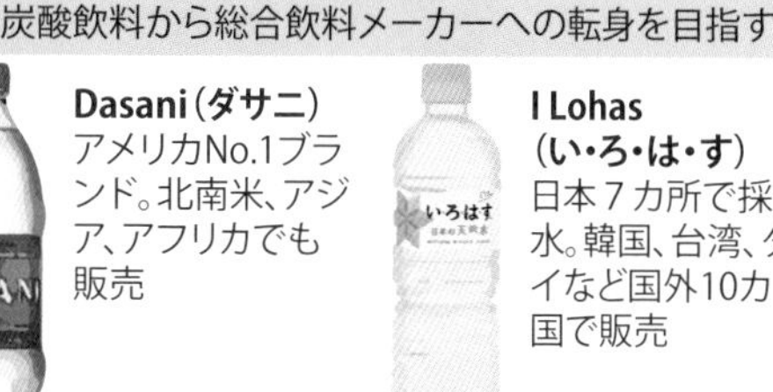

Dasani（ダサニ）
アメリカNo.1ブランド。北南米、アジア、アフリカでも販売

I Lohas（い・ろ・は・す）
日本７カ所で採水。韓国、台湾、タイなど国外10カ国で販売

Kinley（キンリー）
2000年に販売されて以来、インドの主要ブランドに

＊ここで扱う「ボトルウォーター」は、ボトル入り飲料水のこと。天然水、水道水、ミネラルの有無などを問わない。ボトル入り飲料水の種類とその定義は、国によって異なる。
例えば「ナチュラルミネラルウォーター」は、EUの基準では、地下水から直接採水され、殺菌処理をしない自然のままの水。一方、日本では、ろ過や加熱殺菌が義務づけられている。

TOP10だけで 約800億ガロン

合計 約996億ガロン＝1リットルのペットボトル約3770億本

参考：Beverage Marketing Corporation

世界を移動する水 バーチャルウォーター

食料の輸入は他国の水を奪うこと

国境を越えて売買される水は、ボトルウォーターだけではありません。

日本は食料自給率が40%と低く、多くの食料を輸入しています。食料をつくるには、大量の水が必要です。食料を輸入するということは、その食料をつくるために使われた水も輸入していることになります。

輸入品と同じものを、もし自国でつくったらどれだけ水が必要になるでしょう。それを数字で表したのが、「バーチャルウォーター（仮想水）」です。日本は水資源が豊かな国ですが、世界資源研究所の評価では

日本のバーチャルウォーターの品目別使用量

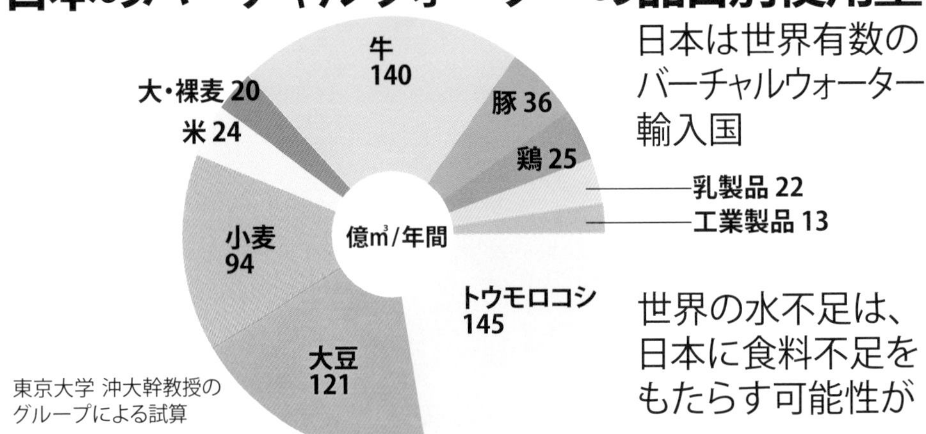

日本は世界有数のバーチャルウォーター輸入国

世界の水不足は、日本に食料不足をもたらす可能性が

東京大学 沖大幹教授のグループによる試算

日本のバーチャルウォーター輸入国とその量

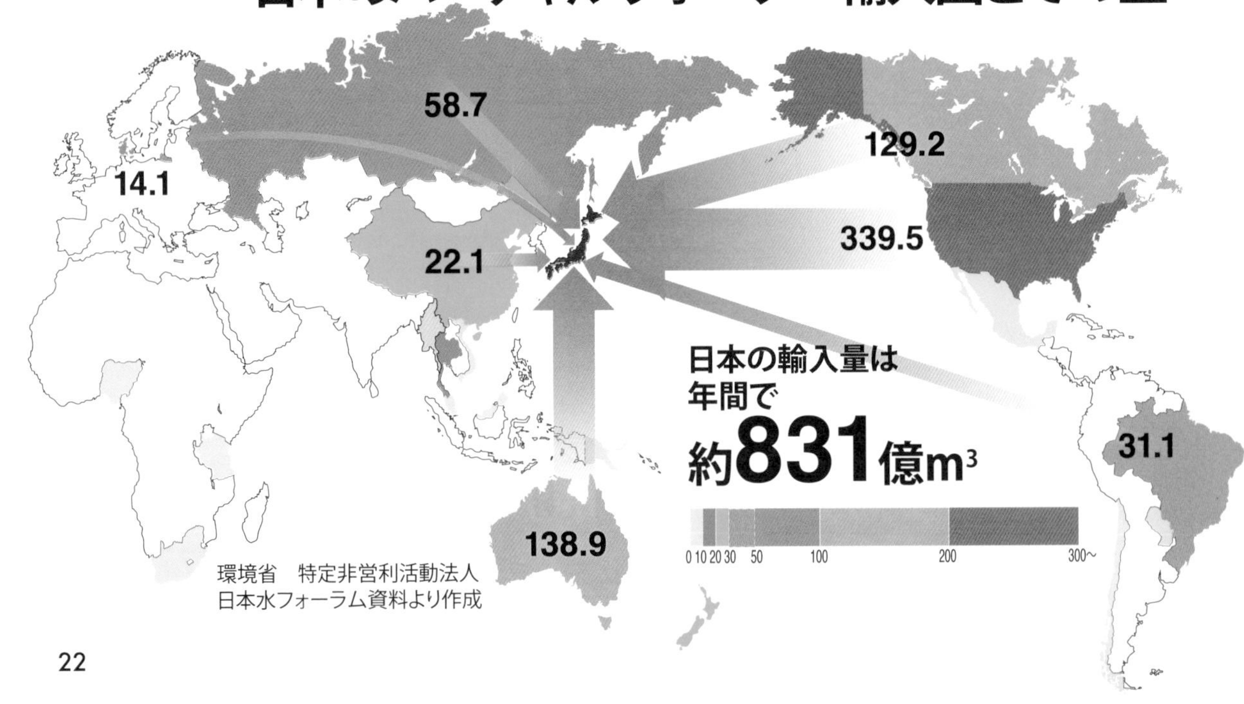

環境省　特定非営利活動法人日本水フォーラム資料より作成

「水ストレスの高い国」とされています。その理由は、年間約800億㎥ものバーチャルウォーターを輸入しているからです。この数字は、国内の年間水使用量とほぼ同じ。日本は、それだけ大量の自国の水を使わずに済んでいる分、よその国から奪っているともいえます。世界的な水不足の問題は、決して人ごとではないのです。

生産工程で使われる見えない水

一方、製品の生産から廃棄までの過程に、どれだけの水が使われるかを示したのが、「ウォーターフットプリント（水の足跡）」です。同じ製品でも、どんな水資源をどれだけ使い、どんな方法でつくるかによって、水の使用量は変わってきます。現在、多くの世界的企業が、水資源保全の指針として、ウォーターフットプリントに着目。製品に使われる水の量を調べることで、生産工程を見直し、水の使いすぎを防ぐことに役立て、自社製品のウォーターフットプリントを公開する企業も増えています。

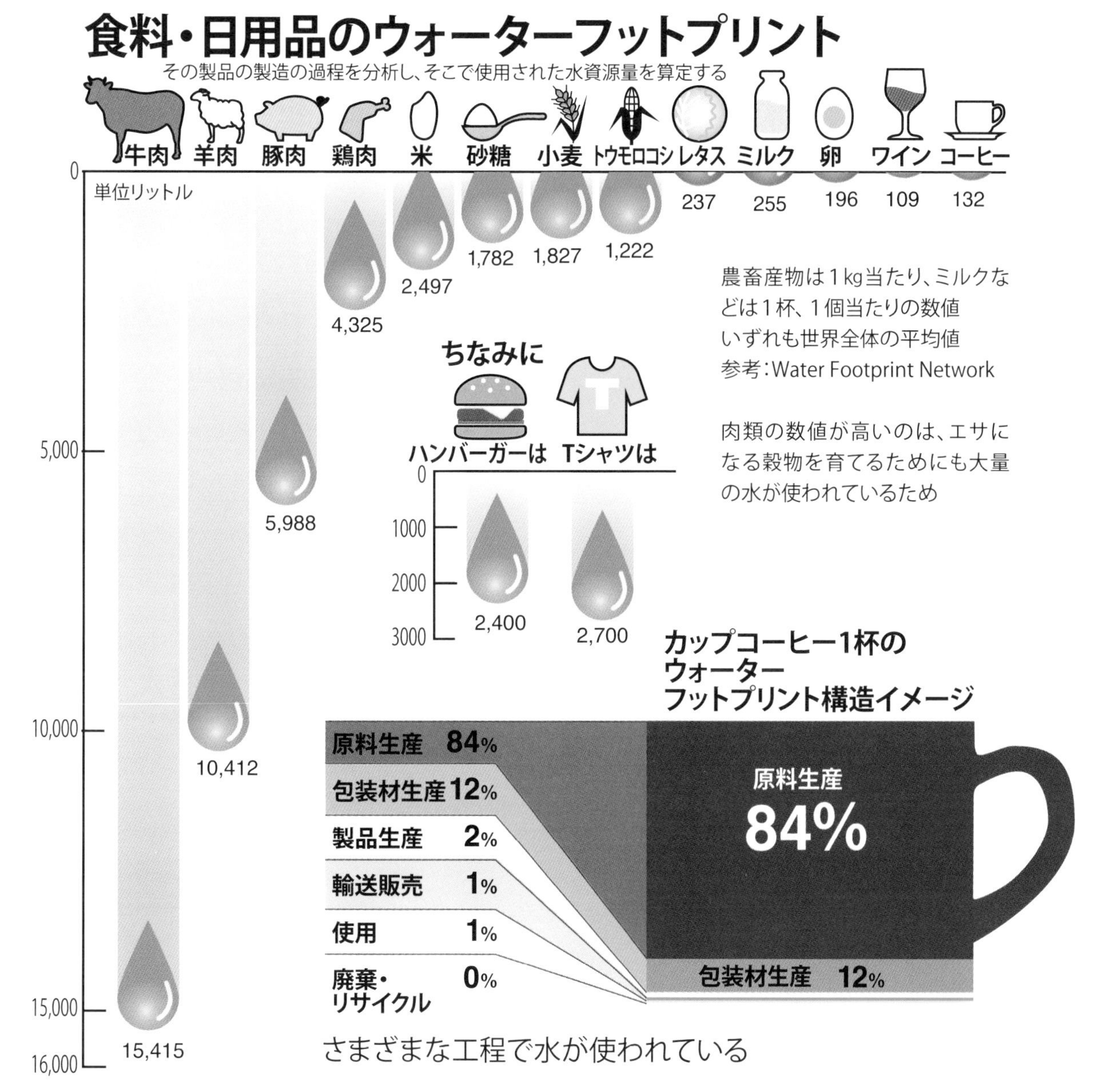

衛生的なトイレの普及にあと400年かかる国がある

トイレを使わない人9億人

下のグラフは、世界の人々がどんなトイレを利用しているかを示したものです。ここにある「安全に管理された」トイレとは、排せつ物を安全に処理できる設備をもったトイレのこと。「基本的な」トイレとは、プライバシーが保たれ、人が排せつ物に触れないよう設計されたトイレのこと。「改善されていない」トイレとは、足場がない穴掘り式トイレや、川や池に排せつ物をそのまま落とすトイレを指します。

グラフを見るとわかるように、私たちが普段使っている「安全に管理された」トイレは4割以下、「基本的な」トイレは3割以下。残りの3割以上の人は、適切なトイレを利用できていません。このなかには、トイレそのものがなく、屋外で用を足している人が、9億人近くもいるのです。

トイレの普及が遅れているのは、貧困や

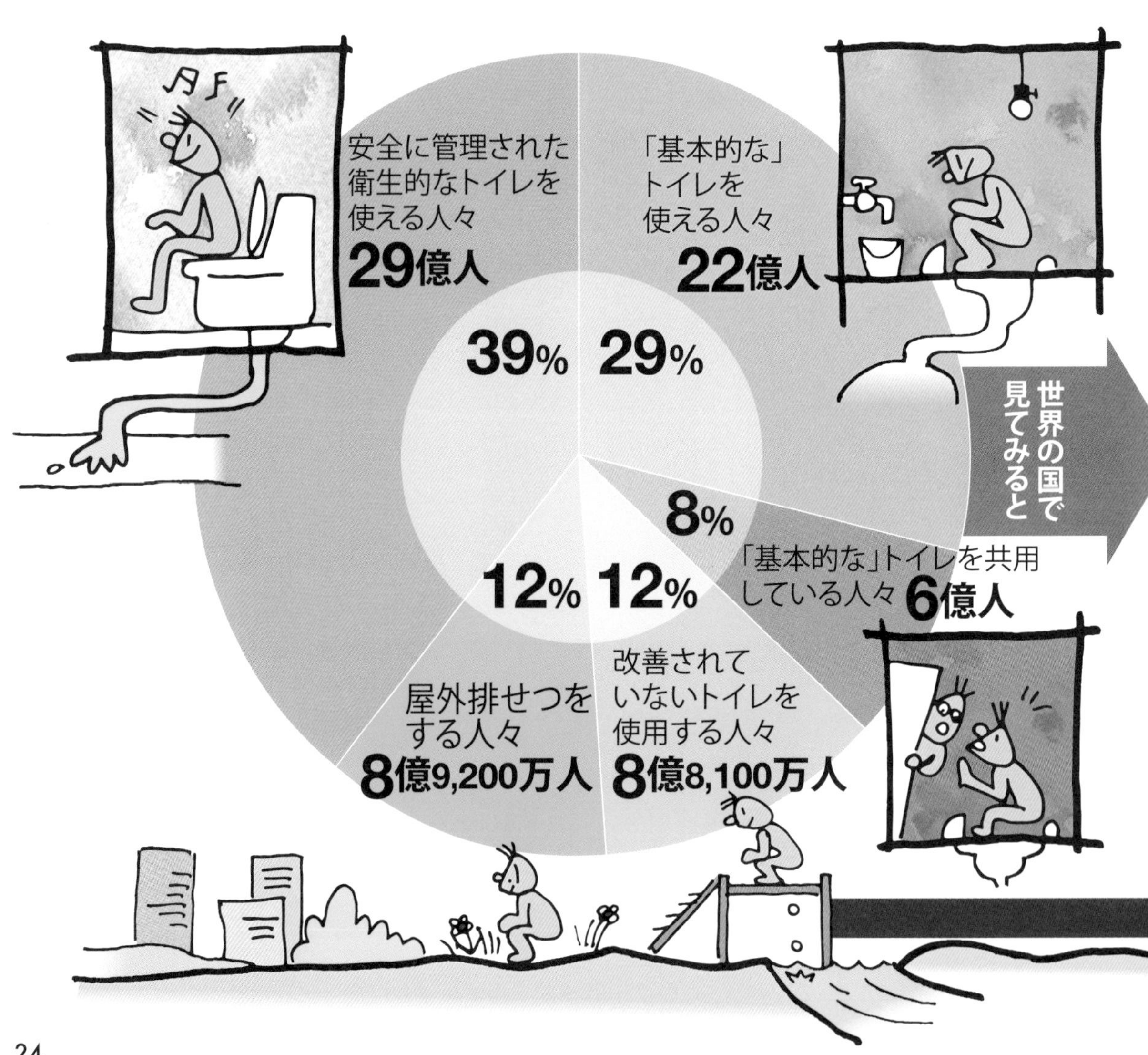

紛争などの問題を抱えるアフリカやアジアの途上国です。すべての家庭で適切なトイレが使えるようになるのは、トーゴは2449年、ガーナは2428年、つまりあと400年以上かかるというのです。

国の事情に合ったトイレを

屋外で用を足す人が最も多いのは、意外にも経済成長を遂げているインドです。インド政府はトイレ普及に努めていますが、現在も５億人以上が屋外で排せつしています。その理由は、インドにはカーストという身分制度が根強く残り、汚いものを処分するのは、身分が一番低い人の仕事とされているためです。下水道がない地域にくみ取り式のトイレを設置しても、誰も管理したがらず、放置されてしまうのです。

こうした事情をもつインドでは、管理しやすい日本製の簡易式トイレが受け入れられています。また、資金も水も乏しい国では、排せつ物をためて肥料にできるコンポストトイレや、換気設備のある穴掘り式トイレなど、大がかりな工事も、大量の水も必要としないトイレが求められています。私たちが日頃使っている水洗トイレは、衛生的ではありますが、水を使いすぎるという欠点を考えると、決してどの国にとっても最善のトイレとはいえないのです。

国別、安全に管理された衛生的なトイレを使用できる人の割合

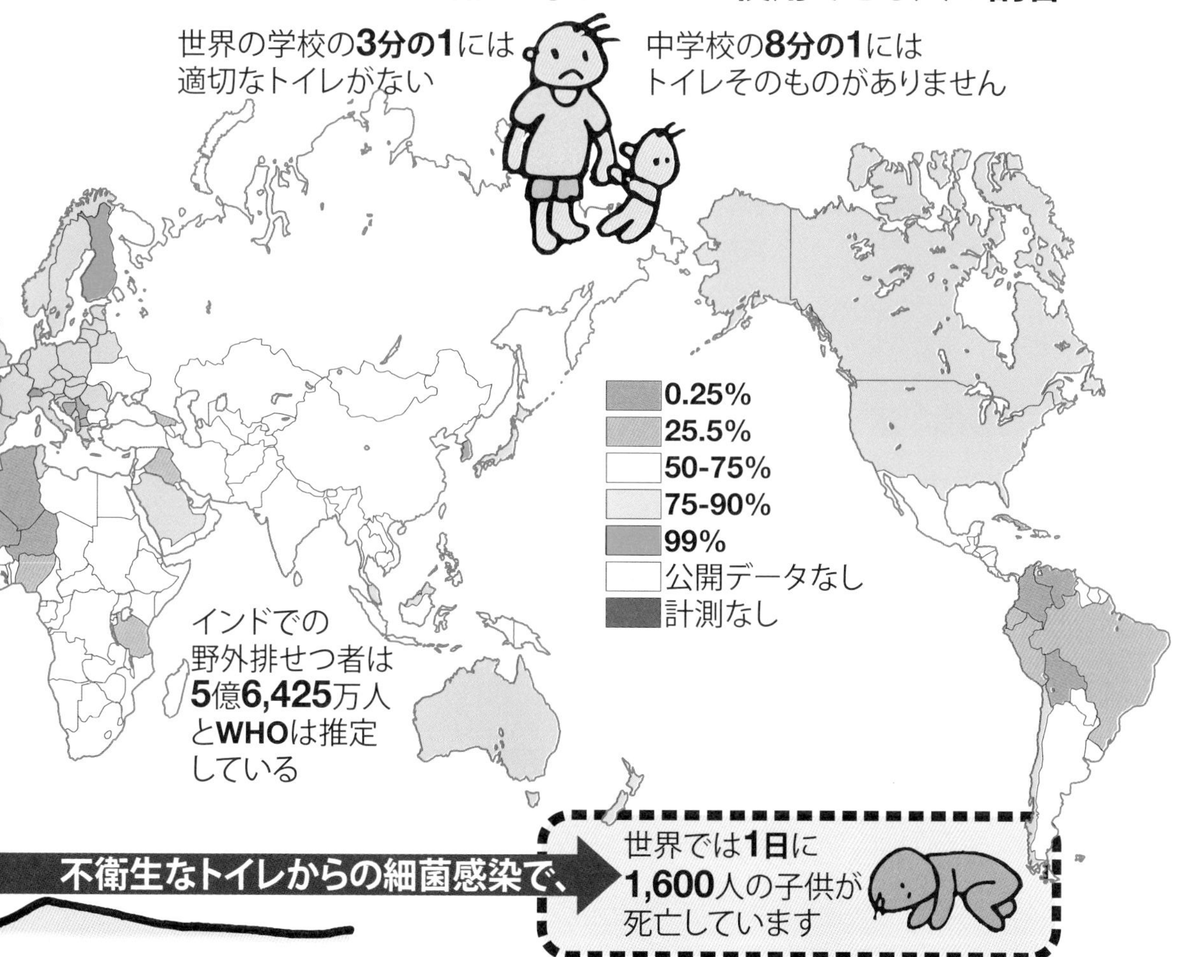

天災と人災が招いたアフリカの水危機

水を求めて歩く子どもたち

いま、世界で最も深刻な水危機にさらされているのは、アフリカです。それも、「サハラ以南アフリカ」と呼ばれる、サハラ砂漠より南方の地域に、問題が集中しています。安全な水やトイレが近くになくて、不衛生な暮らしを強いられている人が、最も多いのも、この地域です。

水危機を引き起こしている最大の原因は、1980年以降、この地域を襲い続けている干ばつです。雨の量が極端に少なく、日照りが続くと、川や池の水が干上がってしまいます。近くに飲み水がなくなると、遠くの水場まで何時間も歩いて水をくみに行くのは、女性や子どもたちの仕事です。そのため子どもたちは、学校に行くこともできません。やっとたどりついた水場も、水が汚れていることが多く、感染症にかかって命を落とす子どもたちも少なくありません。

争いと貧困が水不足を助長

そもそもアフリカは、19世紀に、ほぼ全土をヨーロッパ列強によって分割されて植民地化され、ようやく独立したのは、1950年代以降のことです。しかし、列強が勝手に引いた国境は、部族の分布と一致しないため、独立後も部族の争いが絶えませんでした。武力をともなう軍事独裁政権が生まれやすく、政情が安定しないため、経済も立ち遅れ、貧困にあえいできました。

ジンバブエでは、37年続いた独裁政権が崩壊したいまも、政情不安と経済の混乱がますますひどくなっています。また、南スーダンは、過去半世紀にわたる民族紛争を経て、2011年にスーダン共和国から独立したものの、権力争いが続き、水も食べ物も家も不足する事態に陥っています。

アフリカの多くの国で、水を供給するインフラが整備されずにいるのは、植民地時代から続く負の連鎖によるものです。そして、その象徴が、遠くまで水をくみに行く子どもたちなのです。

アフリカの国々が抱える貧困の連鎖

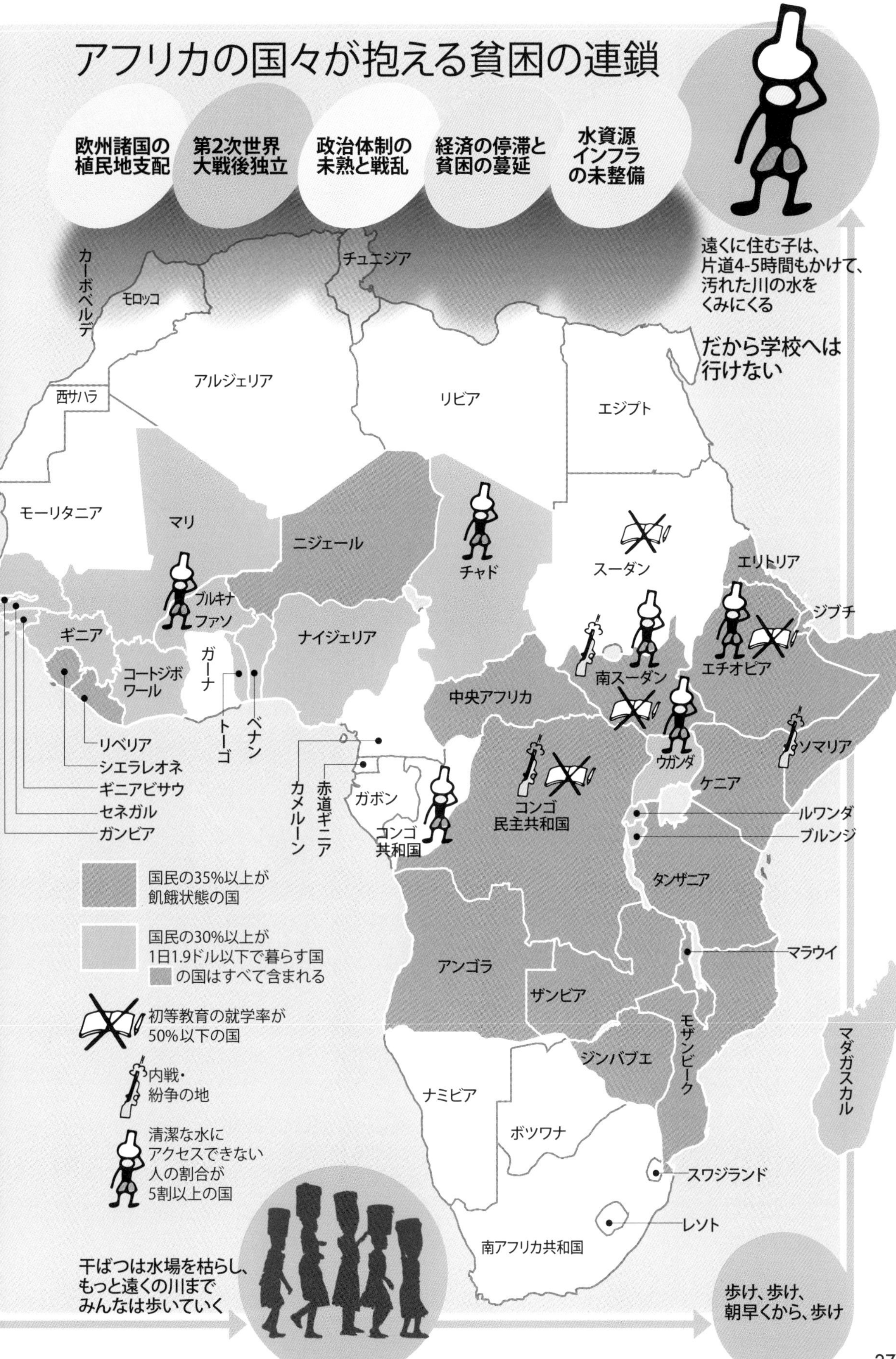

水問題をめぐる持続可能な開発目標 SDGs

安全な水とトイレを世界中に

ここまで見てきたように、水問題は地球全体に関わる大きな問題なので、世界の国々が協力し合わなければ解決できません。世界193カ国が加盟する国連は、「持続可能な開発目標（SDGs）」として、下に示した17の大きな目標を掲げ、2030年までの達成を目指しています。このうち、水問題と直接関係するのが、目標6の「すべての人々に水と衛生へのアクセスと持続可能な管理を確保する」というテーマです。

私たちは日頃、好きなときに水道の蛇口をひねれば水が出てきたり、トイレで用を足して水と一緒に流したりするのを、当たり前のように思っていますが、日本で

国連が2030年までに目指

2 飢餓を
ゼロに

7 エネルギーをみんなに
そしてクリーンに

目標 1 あらゆる場所であらゆる形態の貧困を終わらせる

目標 2 飢餓を終わらせ、食料の安定確保と栄養状態の改善を達成すると共に、持続可能な農業を推進する

目標 3 あらゆる年齢のすべての人々の健康的な生活を確保し、福祉を推進する

目標 4 すべての人々に包摂的かつ公平で質の高い教育を提供し、生涯学習の機会を促進する

目標 5 ジェンダーの平等を達成し、すべての女性と女児の能力強化を図る

目標 6 **すべての人々に水と衛生へのアクセスと持続可能な管理を確保する**

目標 7 すべての人々に手ごろで信頼でき、持続可能かつ近代的なエネルギーへのアクセスを確保する

目標 8 すべての人々のための持続的、包摂的かつ持続可能な経済成長、生産的な完全雇用および働きがいのある仕事を推進する

目標 9 強靭なインフラを整備し、包摂的で持続可能な産業化を推進すると共に、イノベーションの拡大を図る

上下水道が整備されるようになったのは、1950年代以降のことです。世界には、水道も下水道もトイレも整っていない国や地域が、まだたくさんあります。それを改善して、2030年までに、世界中の誰もが安全な水とトイレをいつでも使えるようにしよう、というのが目標6の目指すゴールです。

多分野にまたがる水問題

水問題が関わってくるのは、目標6だけではありません。清潔な水とトイレが整っていない国は、目標1の「貧困」、目標3の「健康」、目標10の「不平等」という問題も抱えていることが多いので、これらをあわせて解決していく必要があります。また、世界中に水道や下水道を整備することは、目標9の「産業と技術革新の基盤をつくろう」というテーマとも関連してきます。さらに、地球規模の水不足を解消するためには、目標13の「気候変動に具体的な対策を」、目標15の「陸の豊かさも守ろう」という課題にも取り組んでいかなければなりません。命の源である水は、さまざまな分野にまたがる重大な問題なのです。

持続可能な開発目標SDGs

目標12　持続可能な消費と生産のパターンを確保する

目標13　気候変動とその影響に立ち向かうため、緊急対策をとる

目標14　海洋と海洋資源を持続可能な開発に向けて保全し、持続可能な形で利用する

目標15　陸上生態系の保護、回復および持続可能な利用の推進、森林の持続可能な管理、砂漠化への対処、土地劣化の阻止・回復ならびに生物多様性の損失阻止を図る

目標10　各国内および国家間の不平等を是正する

目標11　都市と人間の居住地を包摂的、安全、強靱かつ持続可能にする

目標16　持続可能な開発に向けて平和で包摂的な社会を推進し、すべての人々に司法へのアクセスを提供すると共に、あらゆるレベルにおいて効果的で責任ある包摂的な制度を構築する

目標17　持続可能な開発に向けて実施手段を強化し、グローバル・パートナーシップを活性化する

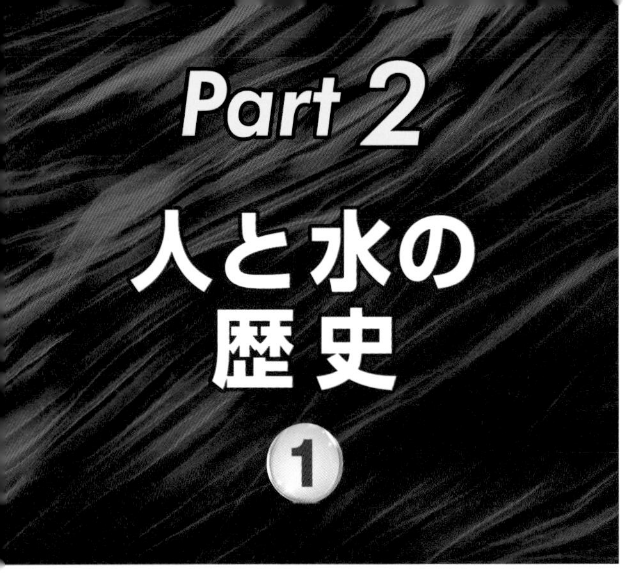

大河を利用した農業によって四大文明が生まれた

大河流域で農業が始まる

人類(じんるい)の文明(ぶんめい)の歴史は、水とともにありました。メソポタミア文明はティグリス川と

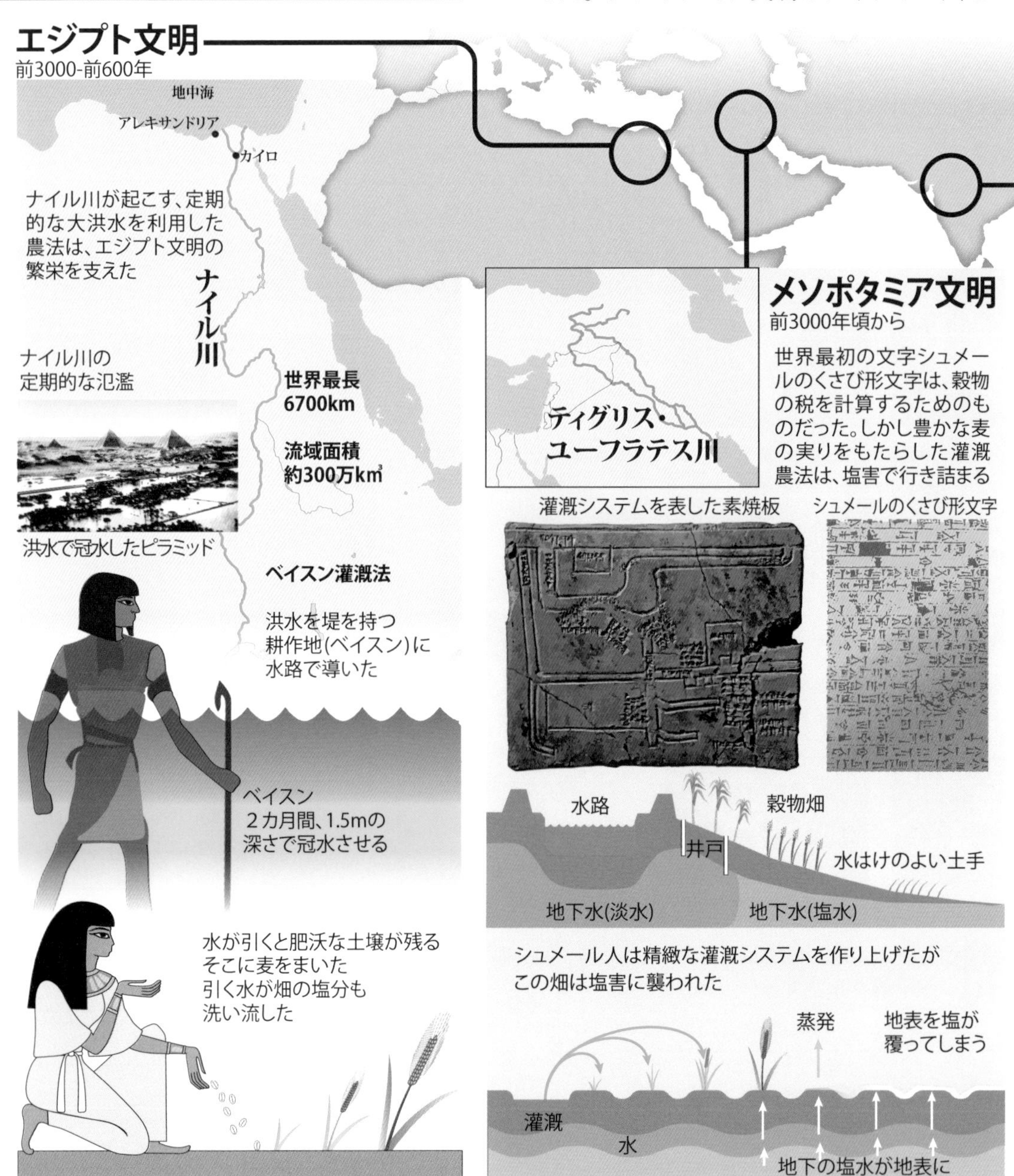

ユーフラテス川、エジプト文明はナイル川、インダス文明はインダス川、中国文明は黄河と長江。古代文明は、いずれも豊かな水をたたえた大河の流域に生まれました。

これら四大文明が興ったのは、紀元前5000年から3000年頃のこと。人類が川の近くに集団で住むようになったのは、それまでの狩猟採集生活から、農業を営む生活へと大きな進化を遂げたからでした。

しかし、川はしばしば氾濫を起こしました。そのため、古代の人々は、人工的に用水路や溜め池などをつくって、農地に水をひく「灌漑」という技術を生み出します。

地球規模の気候変動の寒冷化・乾燥による灌漑農業の衰退が、インダス文明の消滅のきっかけと考えられている

氾濫と闘った古代の人々の知恵

メソポタミアでは、紀元前5000年頃からシュメール人によって灌漑農業が始まりました。しかし、乾燥した土地で灌漑をやりすぎた結果、地下にたまる塩分が地表に上がってくる「塩害」に悩まされ、農業が衰退。これが、シュメールの国家を滅亡に導いた原因だと考えられています。

一方、古代エジプトでは、ナイル川が毎年決まった時期に洪水を起こすのを利用して、ベイスン灌漑と呼ばれる方法がとられました。まず水路をつくり、堤防で囲んだ耕地に洪水を誘導し、２カ月ほど水をためておきます。洪水が引いたら、水を抜き、小麦の種をまきます。こうすると、塩分が洗い流されて塩害を防げたうえ、洪水が上流から運んできた養分豊富な土が耕地にたまり、天然の肥料にもなったのです。

インダス文明でも、川の氾濫を利用した農業が行われていました。夏の雨季になると、インダス川が氾濫して肥沃な土を運んでくるので、氾濫が引いたあとの冬に小麦をまき、次の雨季の前に収穫していました。

中国では、まず黄河の中流域で農耕が始まって黄河文明が興り、やがて南の長江流域の長江文明と結びついて、中国文明が誕生します。黄河は、たびたび氾濫し、洪水が運んだ大量の泥が川底にたまると、さらに氾濫が起こりやすくなりました。伝説の帝王禹は、人海戦術で泥をさらい、水が流れやすくすることで、黄河の治水に成功し、夏王朝の始祖となります。河を制することは、国を制することでもあったのです。

古代ギリシアの科学が水を操る技術を発展させた

送水技術の基礎が築かれる

物体の体積と浮力の関係を示した「アルキメデスの原理」は、紀元前220年頃、古代ギリシアの数学者アルキメデスが、お風呂の中で発見したと伝えられています。

いまから4000年前、インダス文明の首都モヘンジョダロには、すでに浴室と簡便な給水・排水設備があったとされていますが、水を操る技術が一躍進化したのは古代ギリシア時代のことでした。

この時代の賢人たちは、水の不思議を科学で解明し、水の流れを操ろうとしました。紀元前6世紀前半、サモス島の技術者エウ

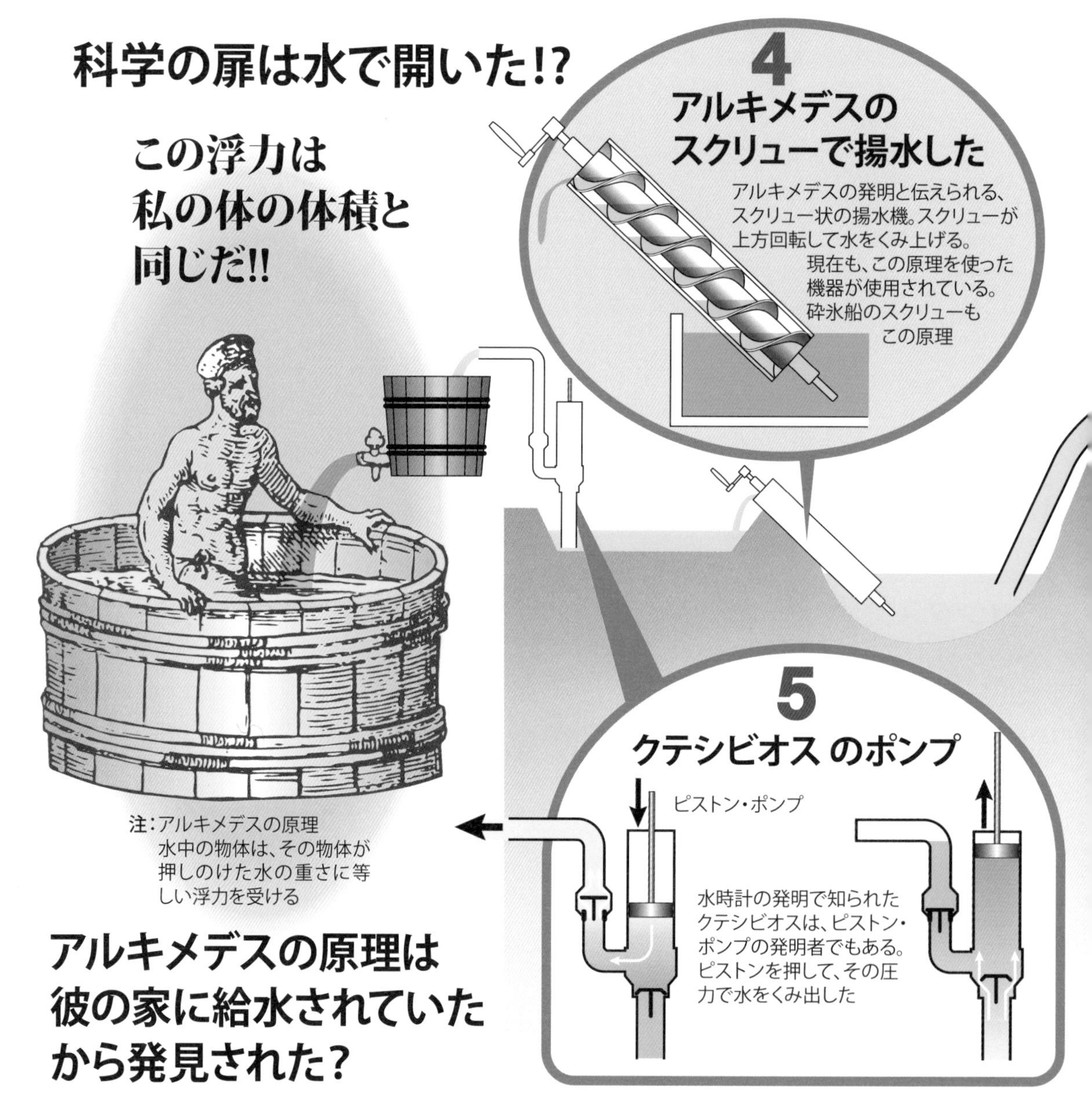

パリノスは、山を隔てた水源から町へ水を引くために、全長１㎞を越える水道トンネルを完成させています。このトンネルは、山の両側から掘り進め、中央でつなげたもので、水平を正確に測る高度な技術がなければできない偉業でした。

また、紀元前３世紀の発明家クテシビオスは、圧縮空気で水をくみ上げるピストンポンプを、その弟子ヘロンは、低いところから高いところに水を持ち上げるサイフォンの原理を利用した噴水を発明していました。ねじを巻くようにして水をくみ上げるスクリューポンプも、先のアルキメデスが考案したと伝えられています。

本格的な水道設備ができるのは、古代ローマ時代ですが、水のあるところからないところへと移動させる技術は、すでに古代ギリシア時代に出そろっていたのです。アルキメデスが入ったお風呂は公衆浴場だったともいわれていますが、もしかしたらこれらの技術を駆使して、アルキメデスの家まで水が引かれていたのかもしれません。

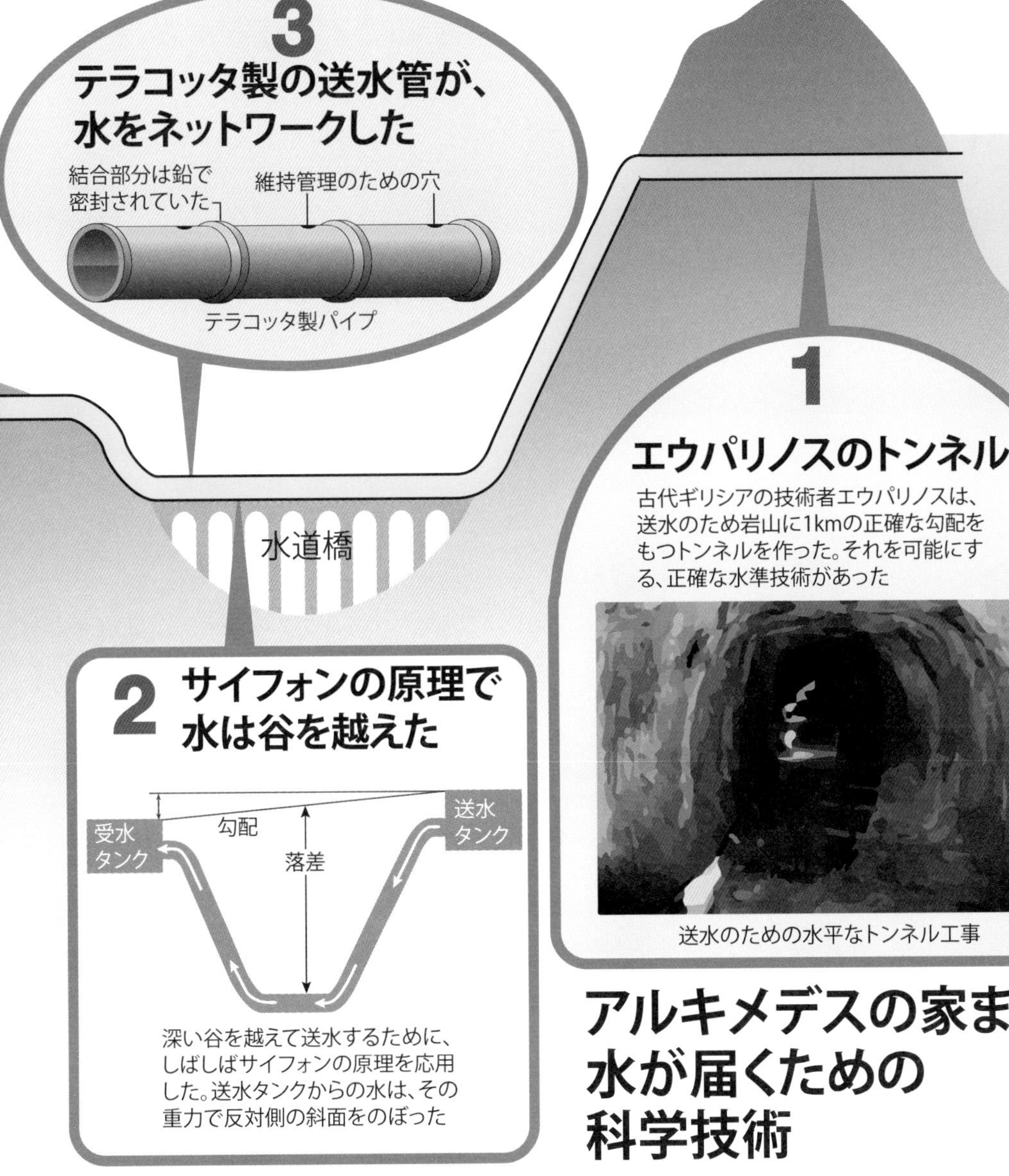

送水のための水平なトンネル工事

アルキメデスの家まで水が届くための科学技術

砂漠を潤す地下水路がペルシアから世界へ伝播

乾燥地帯の取水法カナート

現在のイランの地に興(おこ)ったペルシア帝国(ていこく)が、古代オリエント世界を統一するまでになったのは、「カナート」の存在があったからともいわれています。

カナートとは、乾燥地帯特有の地下水路のこと。砂漠(さばく)に暮らす人々にとって、地下水は貴重な水資源(みずしげん)でした。そのため、まず母井戸を掘って水脈(すいみゃく)を探し当て、そこからわずかな勾配(こうばい)をつけて横穴を掘り進め、集落や農地へ水を運ぶ灌漑(かんがい)方法が編(あ)み出されました。その起源(きげん)は定(さだ)かではありませんが、紀元前8世紀には、イラン北西部にすでに

水源から集落まで、蒸発を防ぐために、地下トンネルで水を運ぶ

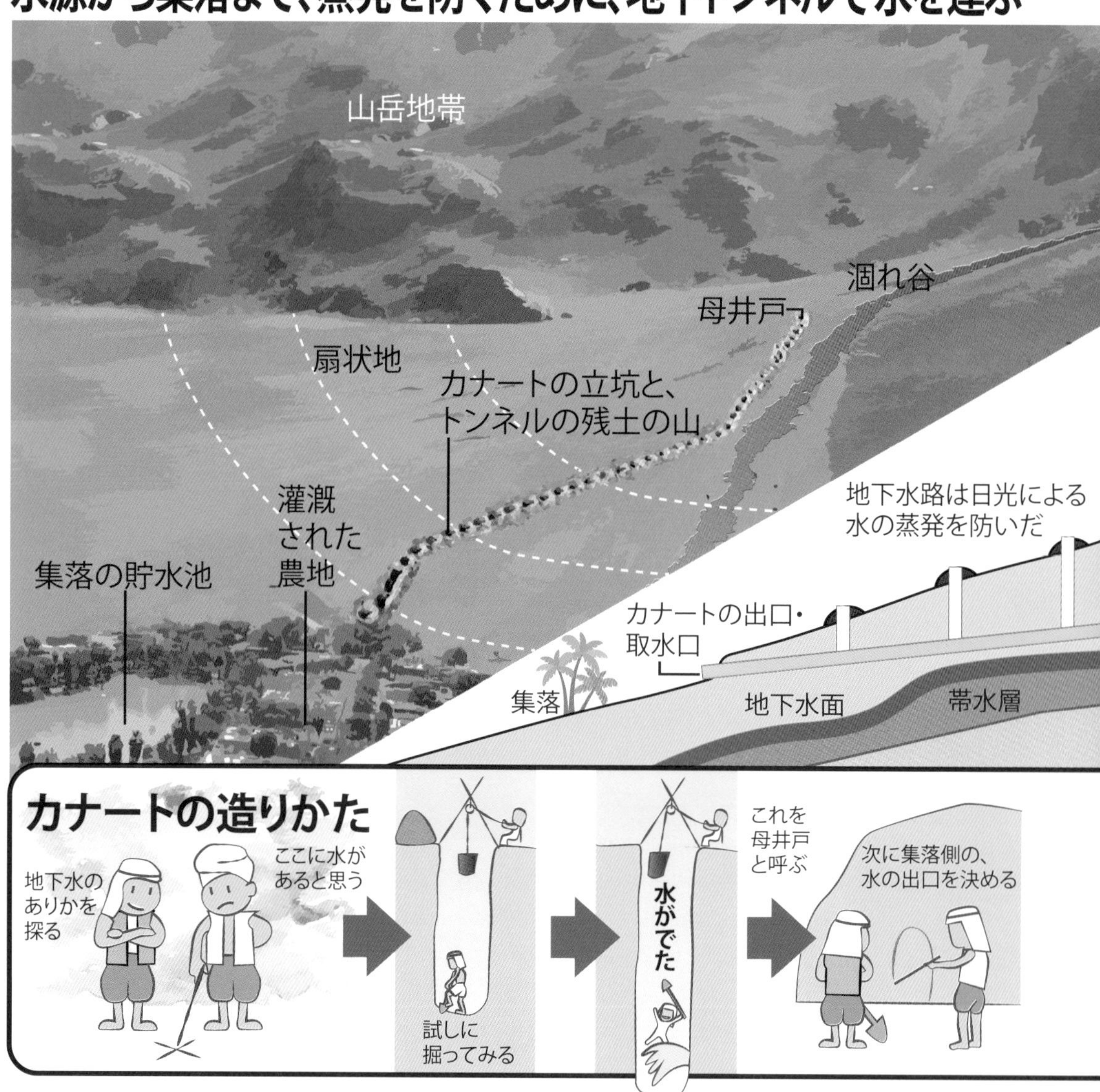

カナートがあったことがわかっています。

ペルシア帝国が領土を拡大するのにともない、カナートはアラビア半島や中央アジアにも広まっていきました。さらに7世紀以降は、イスラム国家が台頭し、領土拡大とともに、北アフリカやスペインにまでカナートが伝わります。

砂漠が生んだ持続可能な水利用

現在、世界各地に残るカナートは、じつに5万以上。発祥地イランでは、いまも2万以上のカナートが使われています。水を運ぶだけでなく、バードギールと呼ばれる採風塔と組み合わせ、地下の冷風を取り込む天然のクーラーのような役割も果たしています。カナートは決して過去の遺物ではなく、砂漠に生きる人々の大切な水資源として、地域のコミュニティごとに管理され、守り継がれてきたのです。

世界中で地下水の過剰取水が問題になっているいま、カナートは、持続可能な水源利用として再評価されています。

この地下の水路はカナートと呼ばれ、いまも使われている

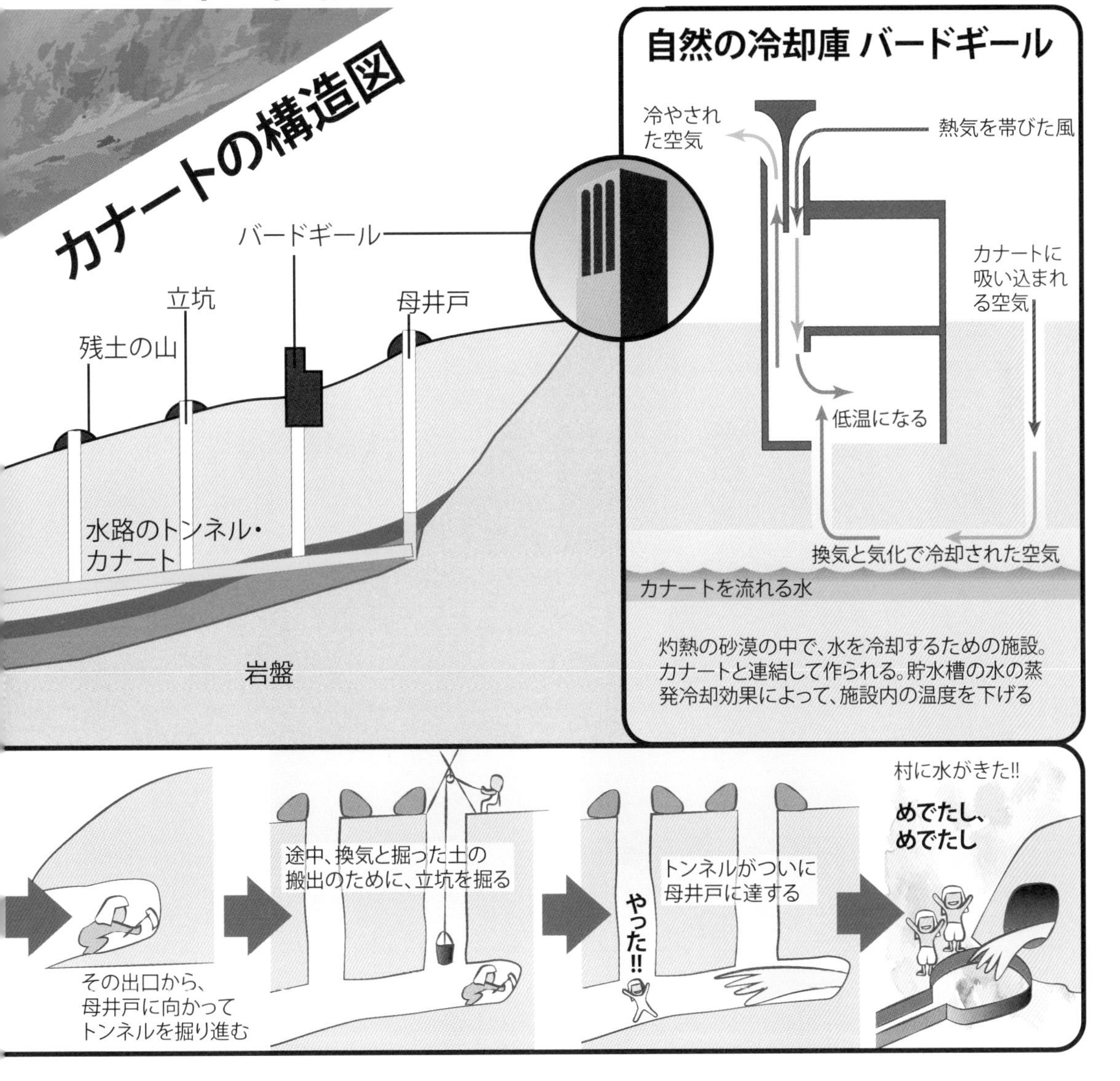

ローマ帝国のあるところ水道あり 水は豊かさの象徴だった

水道は古代ローマの技術の結集

古代建築史上、最も優れた偉業のひとつとされるのが、ローマの水道です。古代ローマでは、都ローマに水を引くために、紀元前312年にアッピア水道が完成。以後、帝政時代の226年までに11の水道が築かれ、1日約10億リットルもの水が供給されるまでになりました。この偉業を可能にしたのは、高度な土木技術です。

ローマ近郊の川や湖からローマの町へ、高いところから低いところに流れる水の動力を利用して、古代ローマの人々は、コンクリートの水路をつくって水を導き、途中

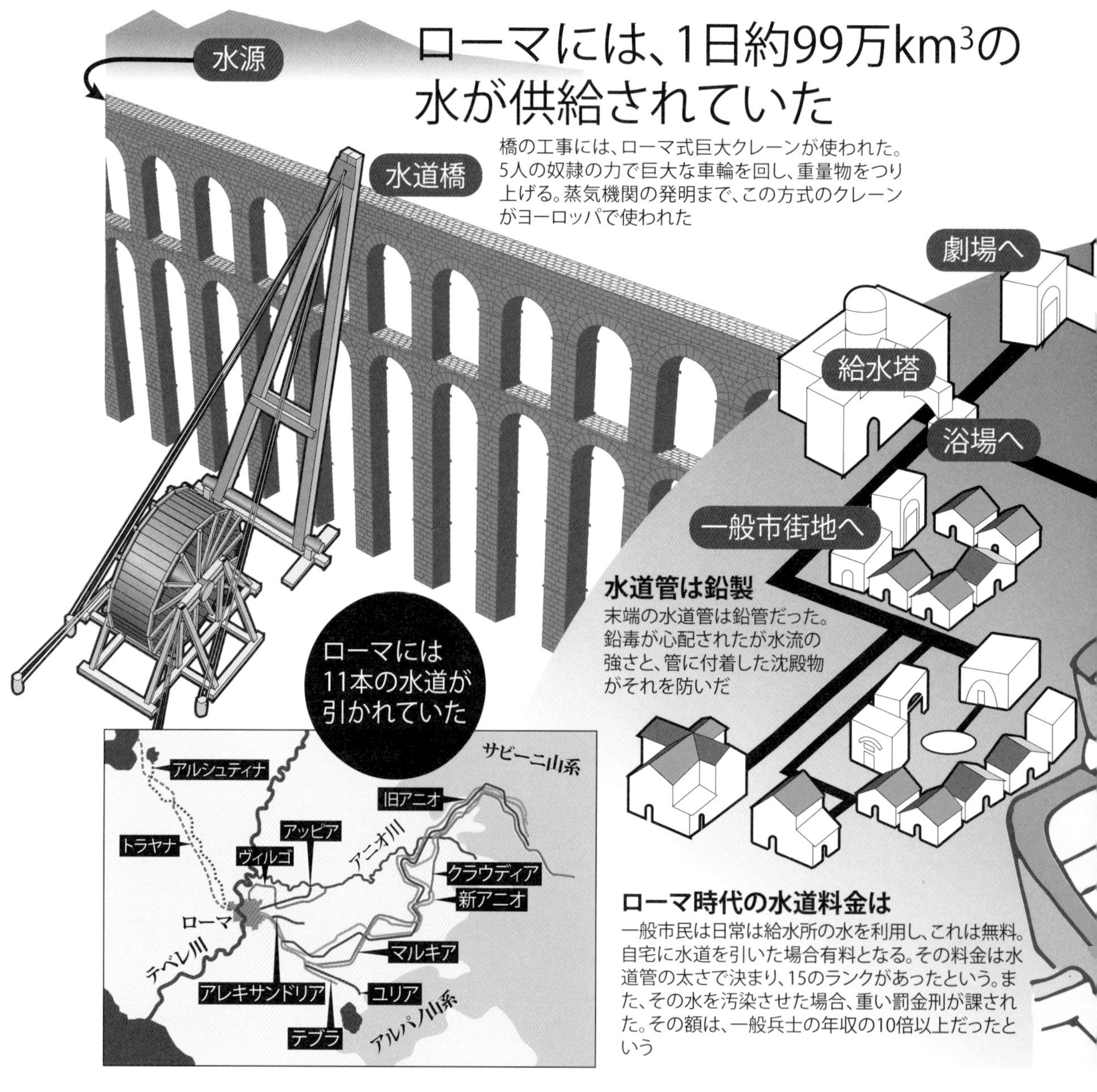

に山があればトンネルを掘り、谷があれば石造りの水道橋を築きました。こうして町まで導かれた水は、給水漕から排水漕へ、さらに鉛管を伝って、公共施設や庶民の水くみ場、一般住宅にもひかれました。

征服した地に水道と浴場を

豊富な水が得られるようになったローマには、歴代の皇帝たちによって、あちこちに公共の大浴場がつくられるようになりました。浴場は体を清潔に保つためだけでなく、社交の場として、スポーツの場としても発展していきます。

さらにローマ帝国は、領土を拡大すると、その属州にも同じように水道をひき、浴場を建設しました。これらの水道は、帝国滅亡後も使われ、いまも地中海沿岸地域に一部の遺構が残されています。特に南フランスのポン・デュ・ガールは、アーチ型に組まれた３段の水道橋が威容を誇り、古代ローマの優れた建築技術を今日に伝える遺構として、世界遺産に登録されています。

中国の歴代皇帝が築き南北を結んだ大運河

都に物資を運んだ中国の大動脈

7つの大河に恵まれ、広大な国土をもつ中国では、生活用水としてだけでなく、交通や物資運搬の手段として、川を巧みに利用した運河が発達しました。その歴史は古く、紀元前3世紀、秦の始皇帝の時代に、川の水をひいて農地を潤したのが始まりです。始皇帝は、南方に軍事物資を送るために、霊渠という運河も築きました。

本格的な運河建設が始まったのは、隋の時代です。6世紀後半、初代皇帝となった文帝は、当時の首都大興城（長安）と黄河を結ぶ広通渠、長江と淮河を結ぶ山陽瀆と

始皇帝
前259～前210年。中国を初めて統一した秦の王

❶ 鄭国渠
前246年、水利技術者、鄭国が涇河と渭河を結ぶ灌漑水路をつくる

❷ 霊渠
前214年、始皇帝が、長江水系と珠江水系を結ぶ運河を開削

文帝
541～604年。隋の初代皇帝。大運河建設に乗り出す

❸ 広通渠
584年、首都大興城（長安）と江南地方が結ばれる

❹ 山陽瀆
587年、淮河と長江が結ばれる

煬帝
569～618年。隋の第２代皇帝。大運河建設を引き継ぐ

❺ 通済渠
605年、黄河と淮河が結ばれる

❻ 永済渠
608年、黄河と現在の北京周辺が結ばれる

❼ 江南河
610年、長江流域の揚州と杭州が結ばれる

フビライ・ハン
1215～94。モンゴル帝国第５代皇帝、元の初代皇帝。

❽ 通恵河
1293年、大都（北京）と通州が結ばれる

❾ 大運河
大都（北京）と江南地方が直接結ばれる

いう２つの運河を造営。続く第２代煬帝は、通済渠（黄河～淮河）、永済渠（黄河～現在の北京）、江南河（長江～杭州）などを、610年までに完成させます。これにより長安と長江が結ばれ、江南の豊かな作物が都に運ばれるようになりました。

しかし、過酷な運河工事に動員された人々の反発が一因となって、隋は滅亡。続く唐、宋の王朝は、運河の恩恵を受けて大いに発展しましたが、中国は再び分断の時代を迎え、運河もさびれてしまいます。

再び運河建設が始まったのは、元の時代でした。中国を再統一したフビライ・ハンは、大都（北京）に遷都。大都まで、迂回しないで運河を直接結びつけるために、新たな運河を開削します。さらに明の時代、杭州から天津につながる運河が整備され、現在も残る大運河が完成しました。

北京と杭州を結ぶ大運河は、京杭大運河とも呼ばれ、全長約1794m。万里の長城とともに中国の二大土木事業といわれ、現在も一部が利用されています。

水との闘いから国を築いたオランダの治水技術

13世紀に始まる干拓の歴史

「世界は神がつくったが、オランダはオランダ人がつくった」という言葉があります。オランダの国土の２割以上は、人の力によってつくり出された干拓地だからです。

オランダの歴史は、水との闘いの歴史でした。北海に面し、国土の一部が海面より低いため、たびたび洪水や浸水に悩まされてきました。オランダの正式名称ネーデルラントも、「低地」という意味です。

農地を増やすために、干拓が始まったのは、13世紀のこと。干拓とは、海や川の一部を堤防で仕切り、水をくみ出して干上

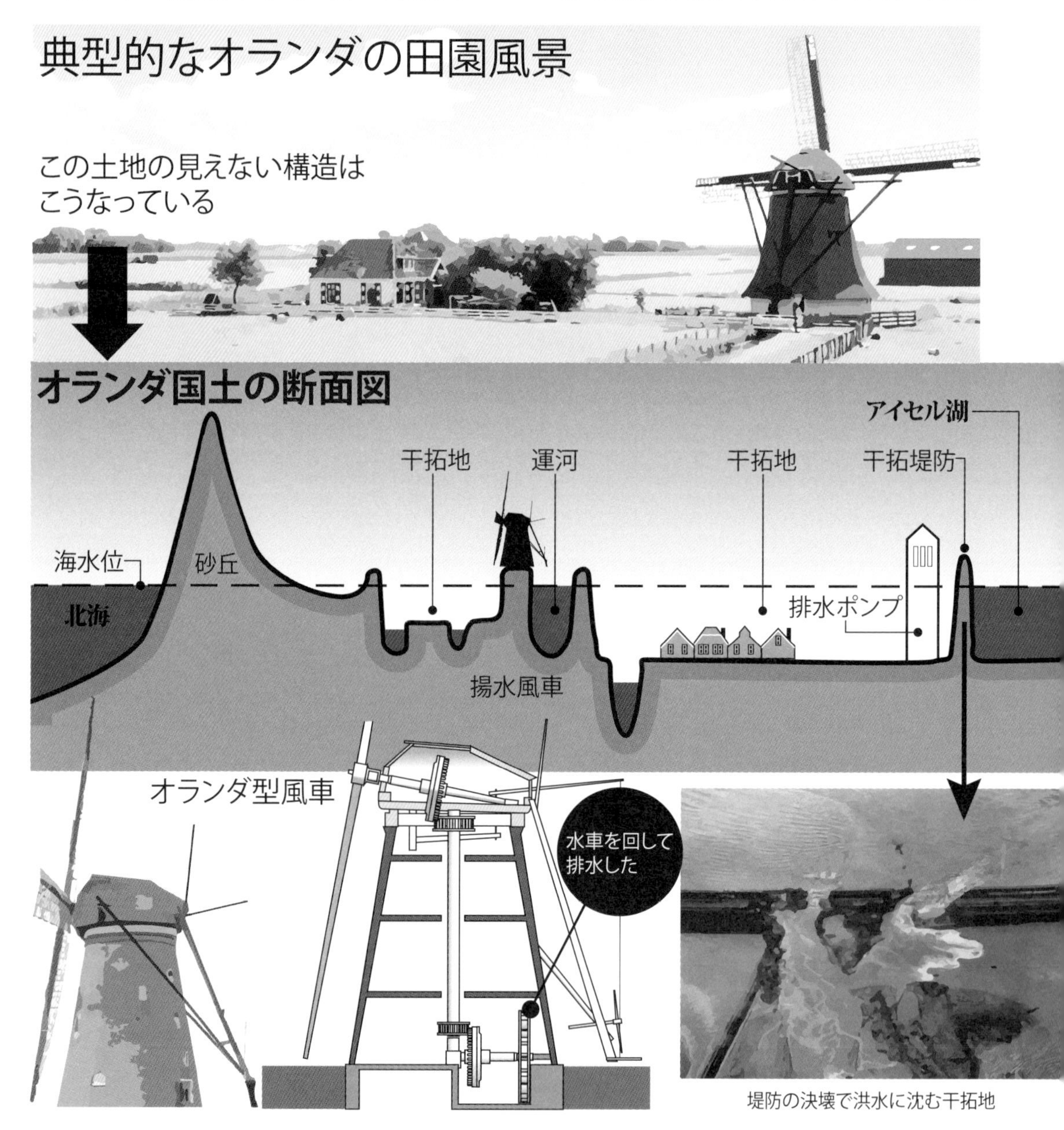

堤防の決壊で洪水に沈む干拓地

がらせ、新しい陸地をつくる方法です。堤防の内側の水をくみ出すために、大活躍したのが、いまではオランダのシンボルになっている風車(ふうしゃ)や運河(うんが)でした。

治水が築いた黄金時代

干拓地は海よりも低いところにあるので、常に水を管理していないと、浸水する危険がありました。そのため中世から地域ごとに水管理委員会がつくられ、地域の人々が共同で、堤防や運河の管理にあたってきました。この自分の町は自分で守るという自治(じち)の精神と、治水(ちすい)で培(つちか)った科学技術によって、オランダは飛躍的に発展します。風車は工業の動力として、運河は輸送手段としても使われ、巨大な船をつくる技術も発達します。水を制(せい)したオランダは、17世紀には世界貿易の中心地になりました。

現在も海抜(かいばつ)ゼロメートル地帯に人口の7割が住むオランダでは、徹底した水管理が行われており、長い歴史をもつその治水技術は、世界の手本となっています。

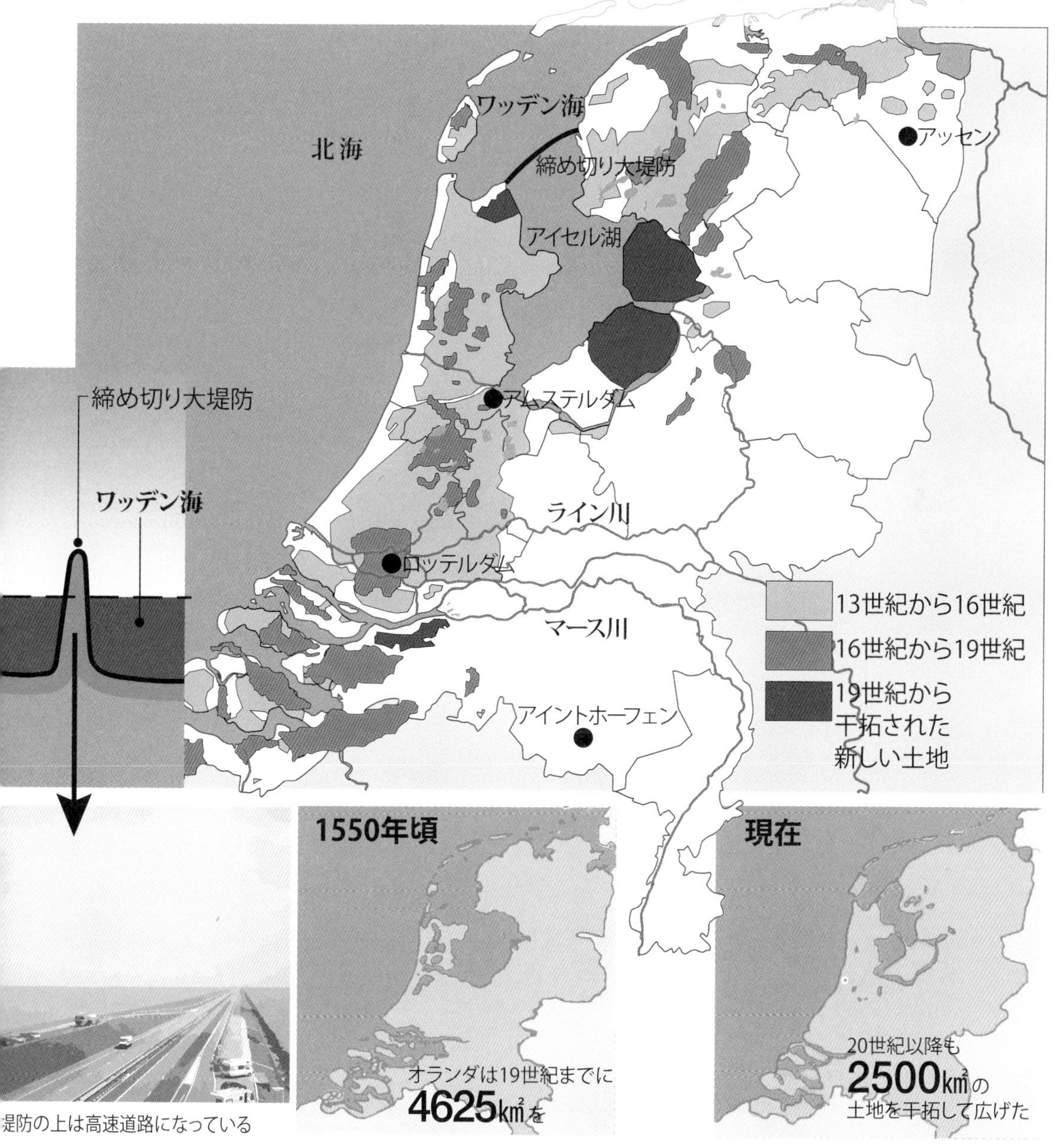

堤防の上は高速道路になっている

産業革命を陰で支えた
ヨーロッパの運河

内陸を水路で切り開く

オランダの運河は、干拓から始まりましたが、運河には水運という役割もあります。遠くまで大量の荷物を運ぶには、陸の道を行くより、船に乗せたほうが、はるかに楽です。そのため古くから水運が盛んでした。

しかし、川も海もない場所まで来たら、陸路を使わなければなりません。

1世紀のローマ皇帝ネロは、海と川をつないで、荷物を積んだまま船を移動できないかと考えました。8～11世紀に北方からヨーロッパに進出したバイキングは、川から山を越えて別の川へと、船を運ぶ手段は

ヨーロッパの運河づくりは　この2つの掛け声から始まった

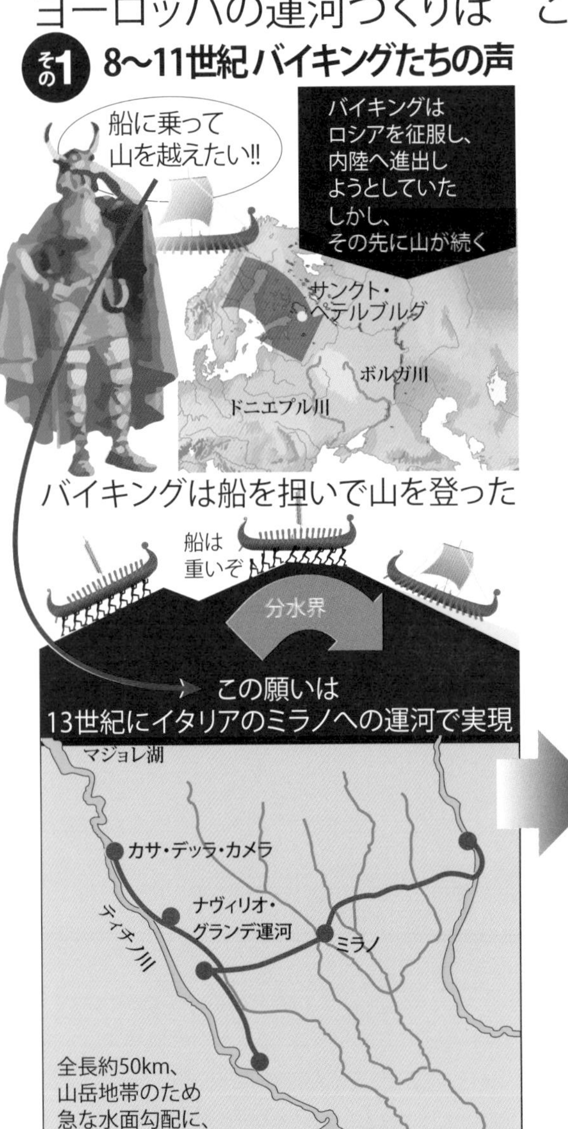

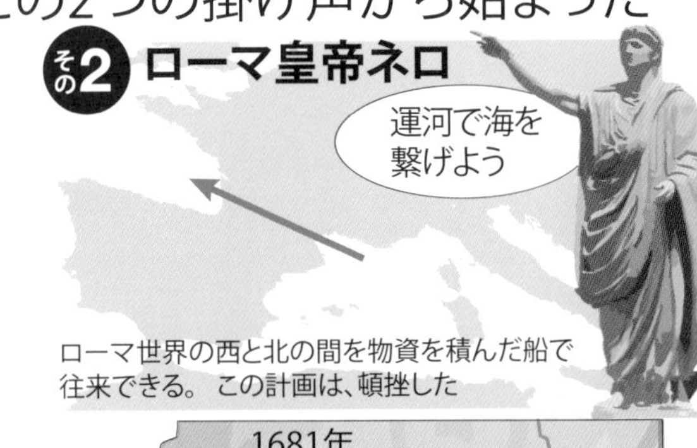

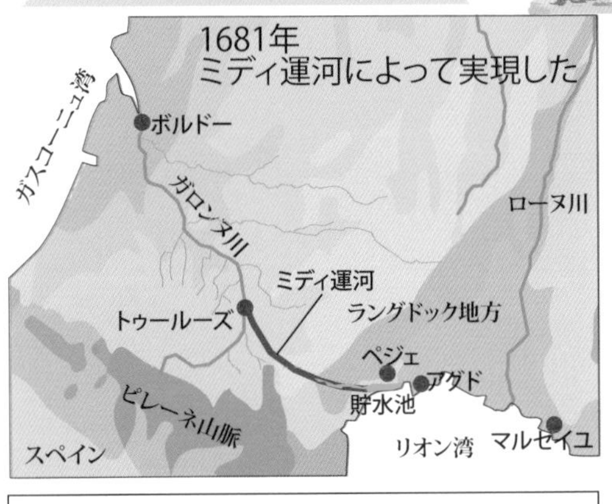

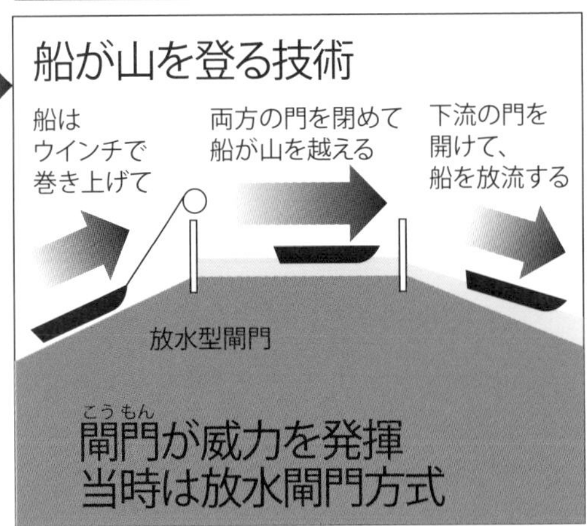

ないかと考えました。こうした野望は、後年になって、運河によって実現します。

高低差のある運河と運河を結ぶため、水の力で船を持ち上げる技術も発達し、船で山を越えることさえ可能になったのです。

大量の石炭を運んだ運河

17世紀になると、フランスにミディ運河など、大規模な運河が誕生。18世紀中頃に産業革命が始まると、イギリスに運河狂時代が訪れます。石炭などを、安く、早く、一度に大量に運ぶための手段として、運河が次々につくられたのです。

当時は、船の推進力（すいしんりょく）として馬が使われ、運河沿いに馬用の通路がつくられていました。狭いトンネルをくぐるときは、人がトンネルの壁を足で蹴って船を進め、馬は休んでいたそうです。

18～19世紀にかけて、運河はヨーロッパ各地につくられるようになりました。そして19世紀後半に鉄道の時代を迎えるまで、産業を支え続けたのです。

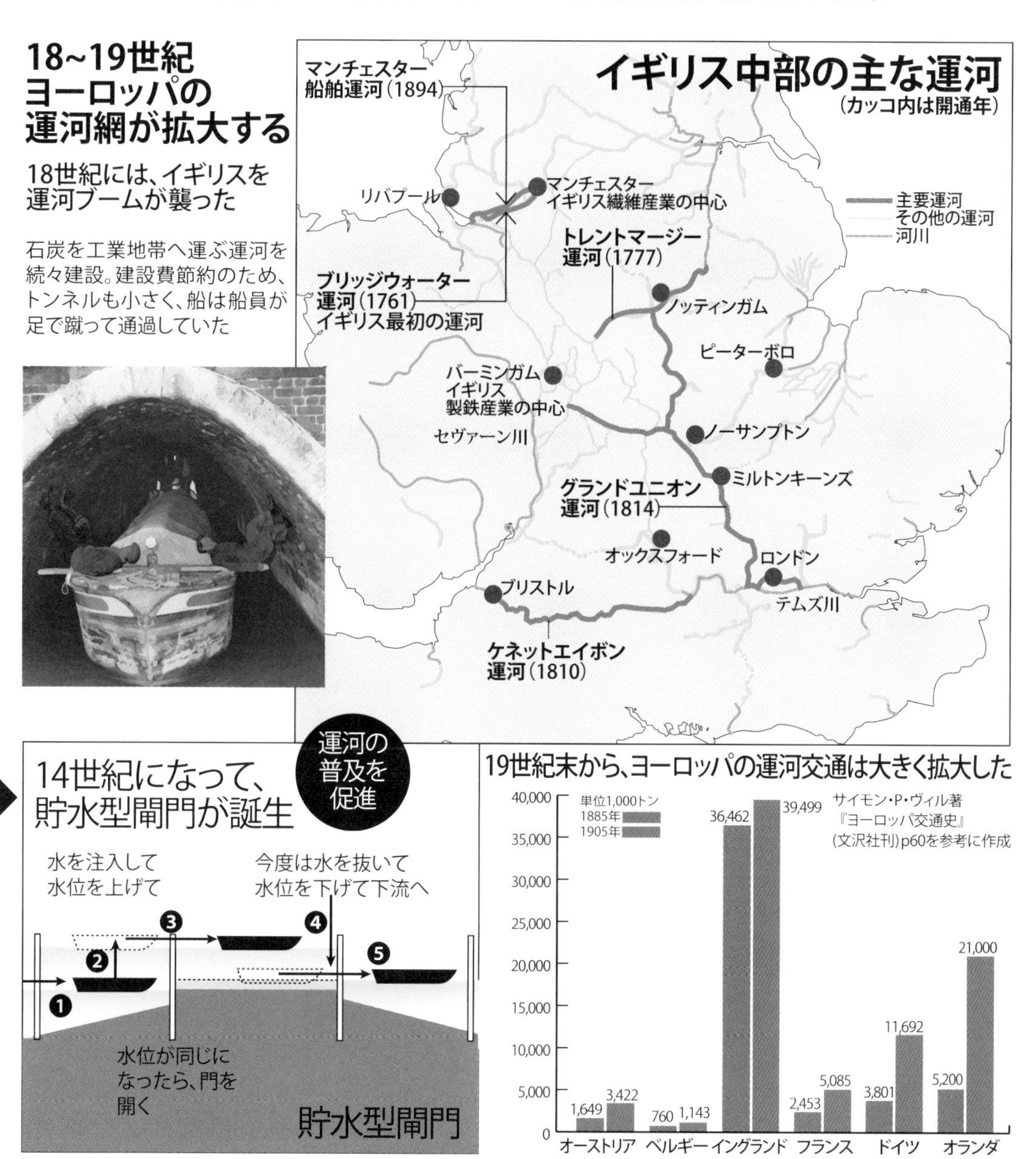

上下水道を整備した江戸は世界最先端の衛生都市だった

江戸の町を潤した上水

東京には、神田上水、玉川上水のように「上水」と名前がつく水路が流れています。上水とは、いまでいう上水道のこと。1590年に江戸に入府した徳川家康が、真っ先に命じたのが、この上水の整備でした。

海に近い江戸では、井戸を掘っても水に塩分が混じり、飲み水には不向きでした。さらに、1603年に江戸に幕府が開かれると、人口が急増。そのため江戸時代初期には、川や池から水路をひき、木製の水道管で水を送る水道網が、次々に整備されました。江戸城はもとより、農地や集落にも水

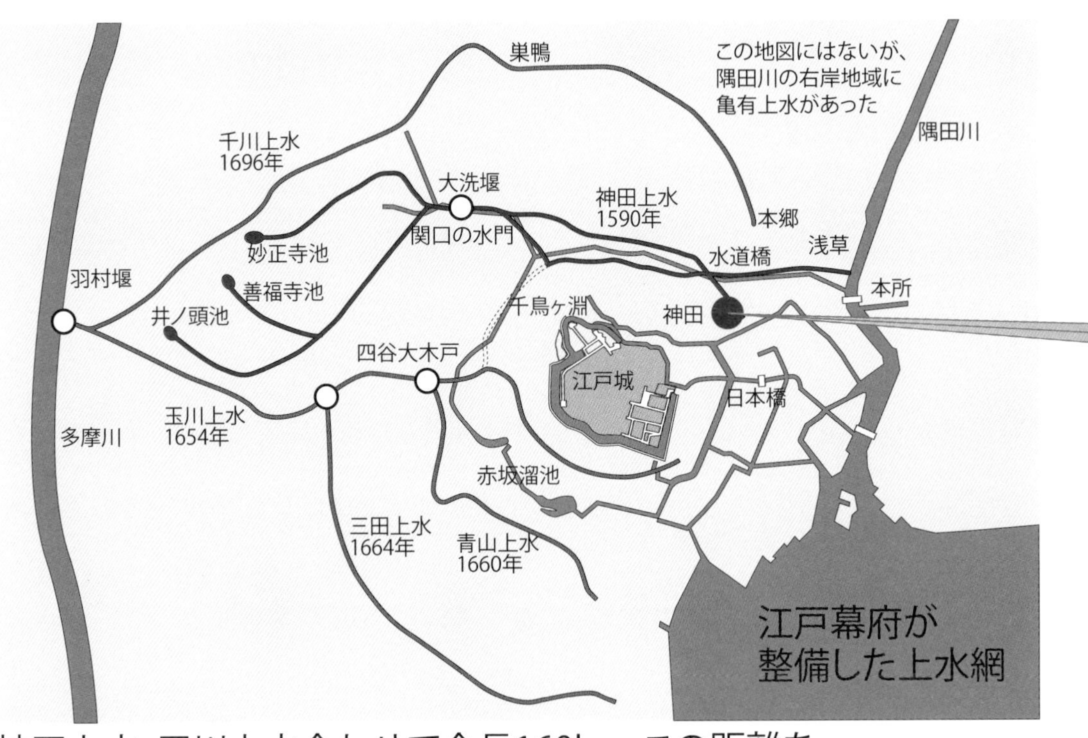

神田上水・玉川上水合わせて全長160km。この距離を自然流下式通水するために、様々な工夫がなされた

長距離サイフォン送水システム

65km

水があげられない

長距離を傾斜で通水すると、出水口は地下深くになる

そこで

こうすれば大丈夫

大洗堰
途中に堰を作り、ここに水を溜め流量調節した

水道橋
神田川の上に水道橋を作り、川を越えた

が届けられ、庶民たちは、地下の水道管とつながった共同の上水井戸から水をくみ、炊事や洗濯に使っていました。

汚物を流さない下水

江戸の町には、家庭から出た排水や雨水を川に流すために、下水も完備していました。排水といっても、当時は水を大切に使い、化学洗剤もなかったので、量は少なく、川を汚すこともありませんでした。下水の溝もこまめに掃除され、泥やごみがたまって悪臭を放つこともありませんでした。

江戸の下水がきれいに保たれていた最大の原因は、人間の排せつ物を流さなかったことです。では、どこに捨てていたのでしょう？　じつは、どこにも捨ててはいません。トイレはくみとり式で、畑の肥料として農家に買い取られていたのです。

江戸の町は18世紀に人口100万を抱える大都市に発展しますが、上下水道と公衆衛生のおかげで、当時の世界中のどの都市よりも清潔だったのです。

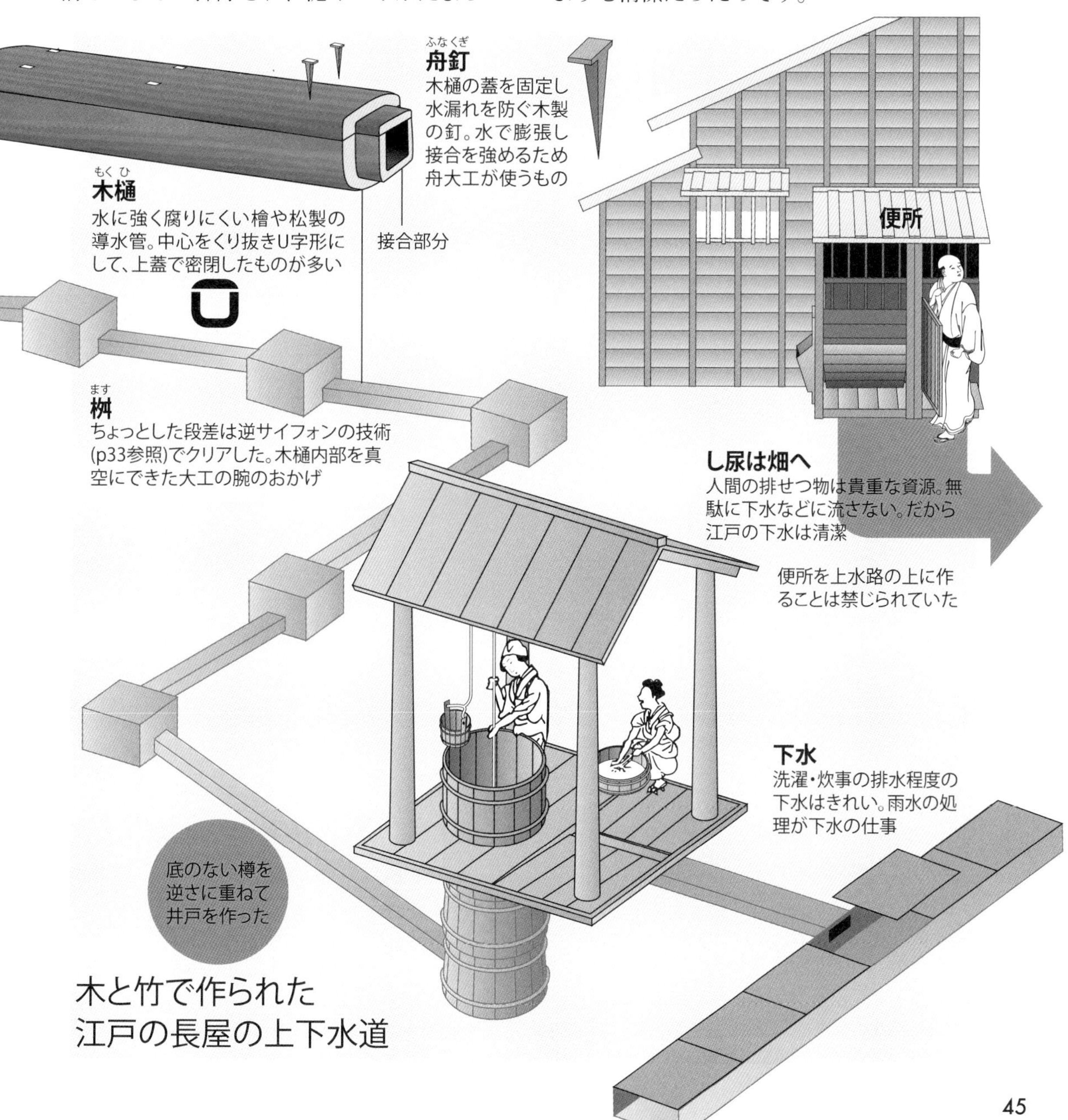

コレラの流行によって ロンドンに上下水道が誕生

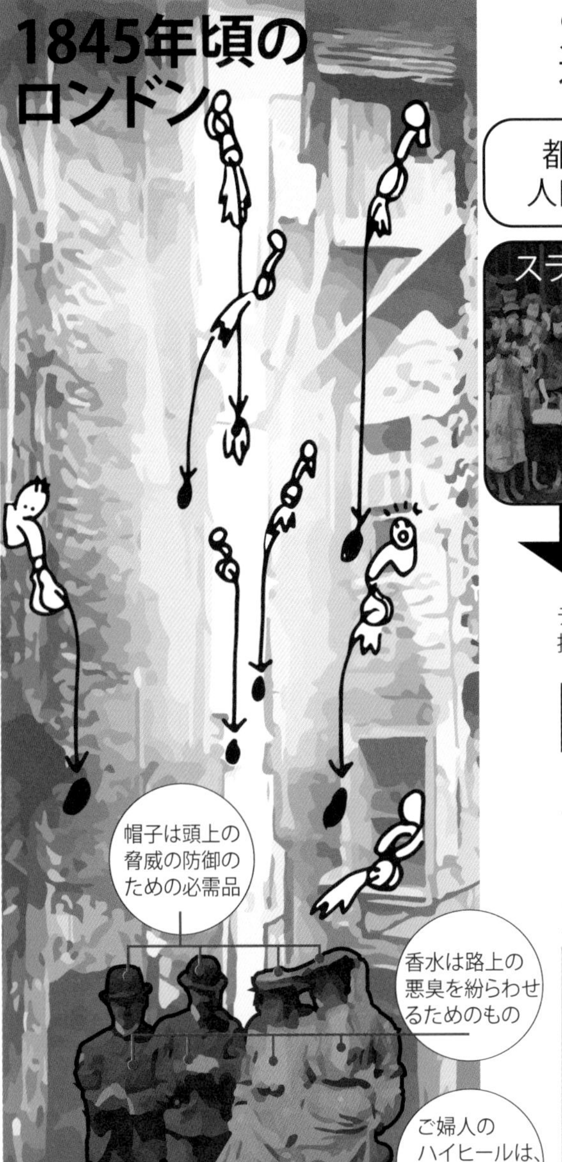

紳士淑女の足元は、とても絵に描けない汚さ。人馬の糞尿、腐敗した食物、動物の死体などがヘドロ状態で路面を覆っている

この街に次々と襲いかかる近代の都市問題

産業革命 → 都市への人口の流入

都市インフラの不備 特に上下水道の → スラムの発生

不潔な住環境

テムズ川に汚物の投棄・垂れ流し

汚染され悪臭のテムズ川

ファラデー(有名な電磁科学者)が、汚いテムズ川に文句をいって、テムズの父に叱られている風刺漫画

FARADAY GIVING HIS CARD TO FATHER THAMES;

そのテムズの水にはこんな怪物がいっぱい

そしてついに **1845年と1853年にコレラが大流行**

汚物まみれだったロンドン

江戸の町が、17世紀にすでに上下水道を備えた清潔な都市だったのに対し、同時代のヨーロッパの都市は、いまでは考えられないほど不潔だったと伝えられています。

特にイギリスの首都ロンドンは、18世紀中頃に産業革命が起こって以来、人口が爆発的に増え、住環境が悪化しました。通りには、馬ふんや腐った食べ物が泥まみれになってへばりつき、窓からは汚物が降ってくる始末でした。当時はトイレも下水もなかったので、住民は自分の排せつ物をおまるにためて、決められた水路に流すことになっていたのですが、面倒なので窓から投げ捨てていたのです。

街の中心を流れるテムズ川には、こうした汚物が流れ込み、左ページ下にあるように、当時の風刺画に怪物が住む水として描かれたほどでした。

コレラの発生源は汚水

19世紀中頃、ロンドンはたびたびコレラの大流行に見舞われます。ヨーロッパでは、それ以前にもペストやチフスの流行によって、多くの死者が出ていましたが、感染症の原因は、よくわかっていませんでした。

コレラも最初は、汚れた空気中に含まれる毒のようなものを吸い込んで発症すると思われていましたが、ロンドンの医師ジョン・スノウは、原因は水にあると考えます。患者の多い地区を調べたところ、同じ給水所の汚い水を飲んでいたことがわかったのです。そのため彼は、きれいな水を供給する上水道の整備を訴えました。

また、1858年には、テムズ川から強烈な悪臭が発生し、のちに「ロンドン大臭気」と呼ばれる大騒動が起こります。こうしたことから、ロンドンにもようやく上下水道が建設されるようになりました。上水は川の上流から取り、下水は市街地より下流で流す、という近代的な上下水道網は、その後、欧米各国に広まりました。

やっとロンドン市も動き出し、1855年に下水道整備計画を作り、1858年から建設を始めた

ロンドン市下水道ネットワーク

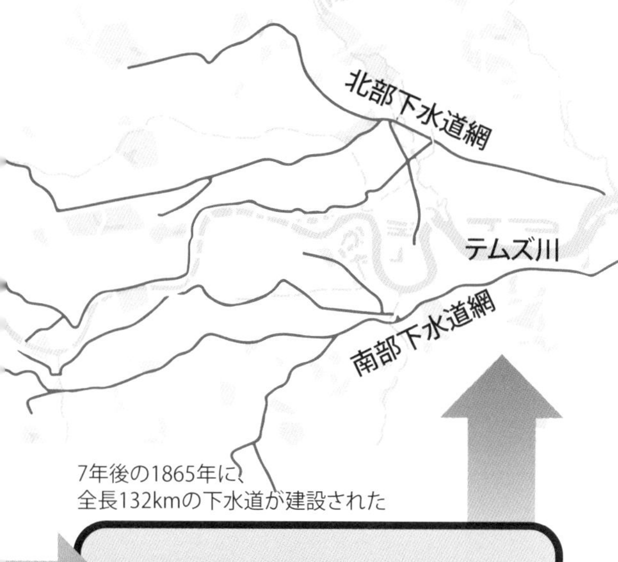

7年後の1865年に、全長132kmの下水道が建設された

下水道網を建設して、汚水をテムズ川の下流に放出しよう

内科医ジョン・スノウの発見

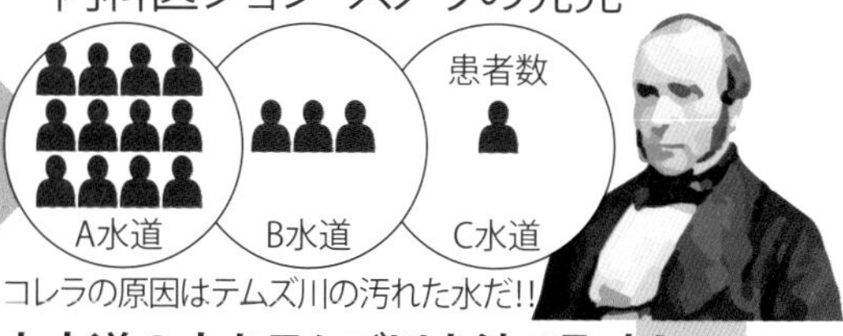

コレラの原因はテムズ川の汚れた水だ!!

上水道の水をテムズ川上流で取水し、自然ろ過して届ける、近代水道の基礎がこのときできた

上水道を建設して、清潔な水の水道をつくろう

安全を求めて進化した現代の上下水道

世界一を誇る日本の水道

江戸時代の上下水道は、明治時代になると老朽化し、日本にも近代的な設備が導入されるようになりました。水道も下水道も、外国人居留地だった横浜に、イギリス人技師によって建設されたのが始まりです。

先に普及したのは、飲み水を供給する水道でした。戦後は産業用水の需要も増え、水をろ過する技術も進歩します。1970年代には、消毒用の塩素がもとになって発がん性物質トリハロメタンが発生することが問題になり、万全の水質管理体制がとられるようになりました。

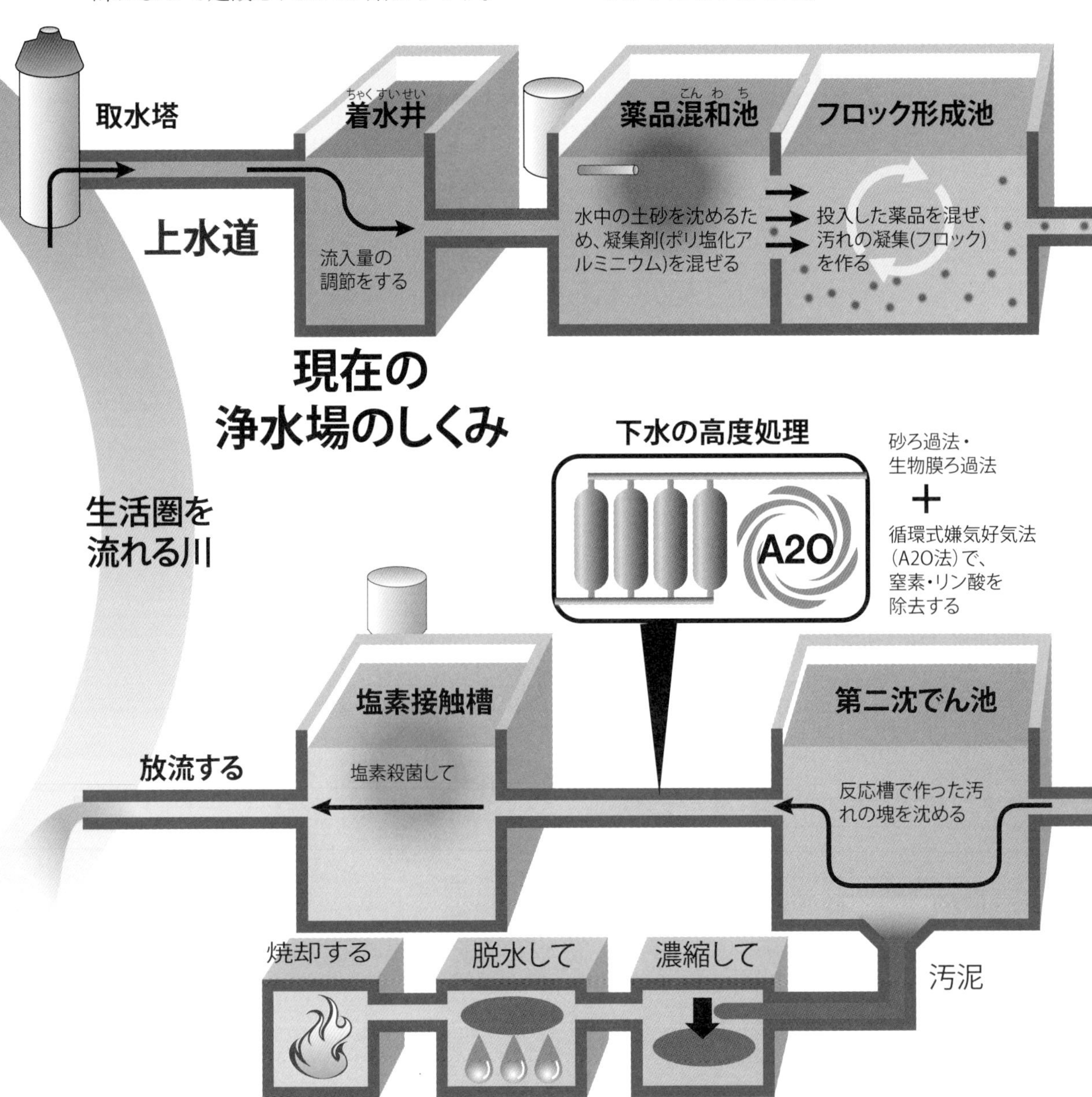

現在、日本の水道普及率は98％と世界一。水質やおいしさ、水漏れの少なさでも群を抜き、その技術を世界に誇っています。

水洗トイレとともに下水が普及

一方、下水道の普及は遅れ、国内初の下水処理施設が完成したのは、1922年のことでした。トイレはまだ、くみとり式が主流で、下水道は、生活排水や雨水の処理を目的としていました。トイレの汚物を下水に流せるようになったのは、1958年に新しくできた下水道法によるものです。

戦後の復興とともに、下水道の普及事業が始まり、水洗トイレが急増。さらに生活排水として、化学洗剤や油なども流されるようになりました。それらを安全に処理するために、現在では、下のイラストのように、何段階も経て、水が再生されています。

水道も下水道も、いまでは私たちの生活に欠かせないものです。その一方で、世界には安全な水もトイレも手に入らない人々がいることも、忘れてはならない現実です。

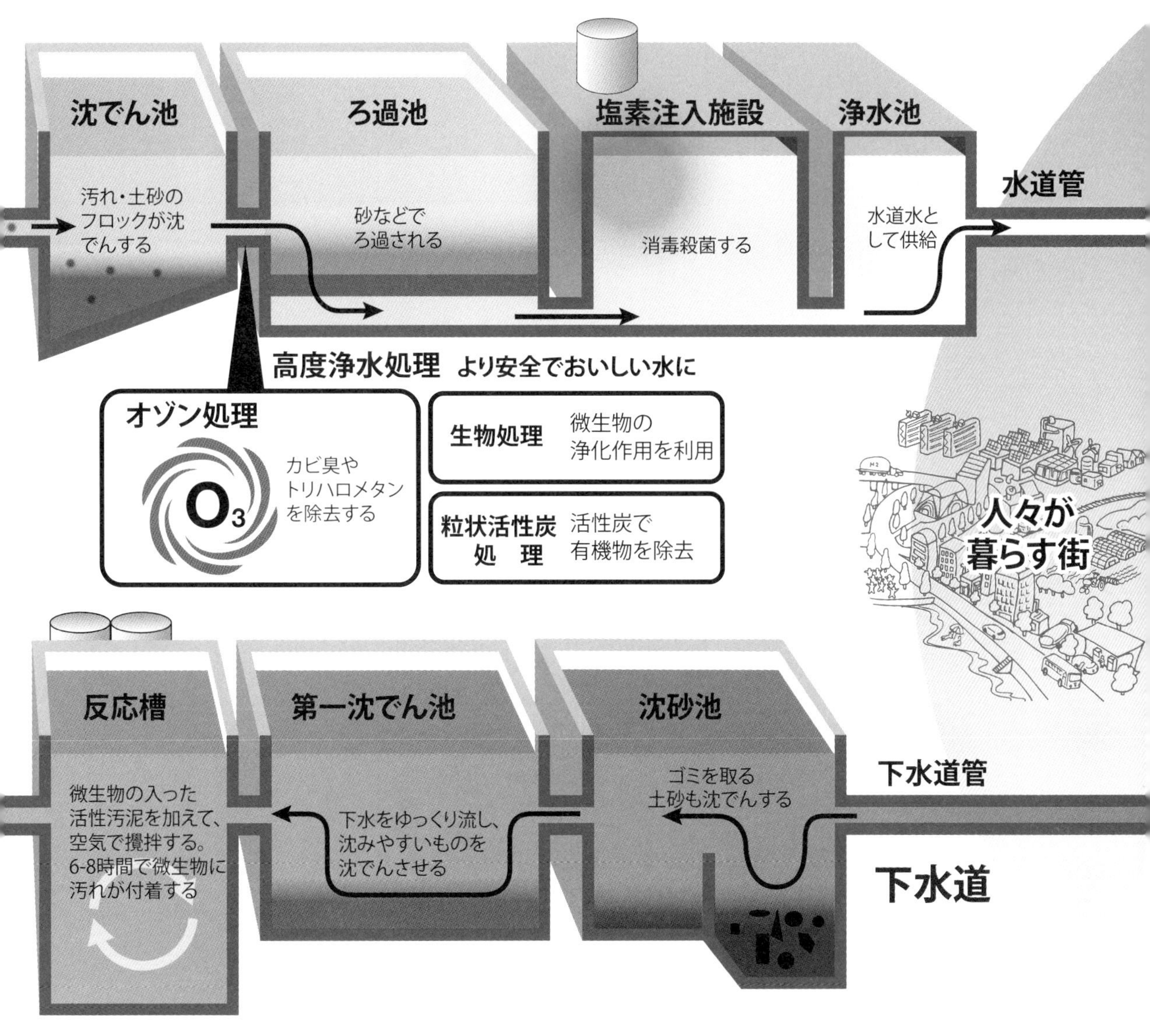

現在の下水処理場のしくみ

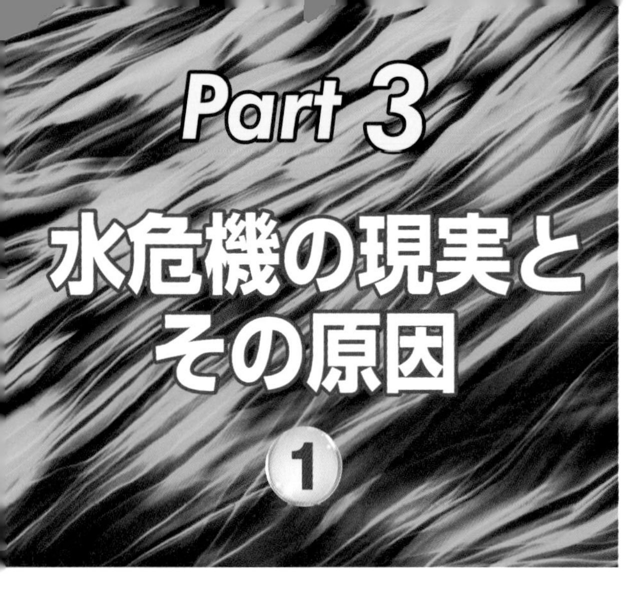

水危機の最大の原因 地球温暖化はなぜ起こったのか？

CO₂などの増加により気温が上昇

いま、世界的規模で起きている水危機の最大の原因とされるのが、地球温暖化です。

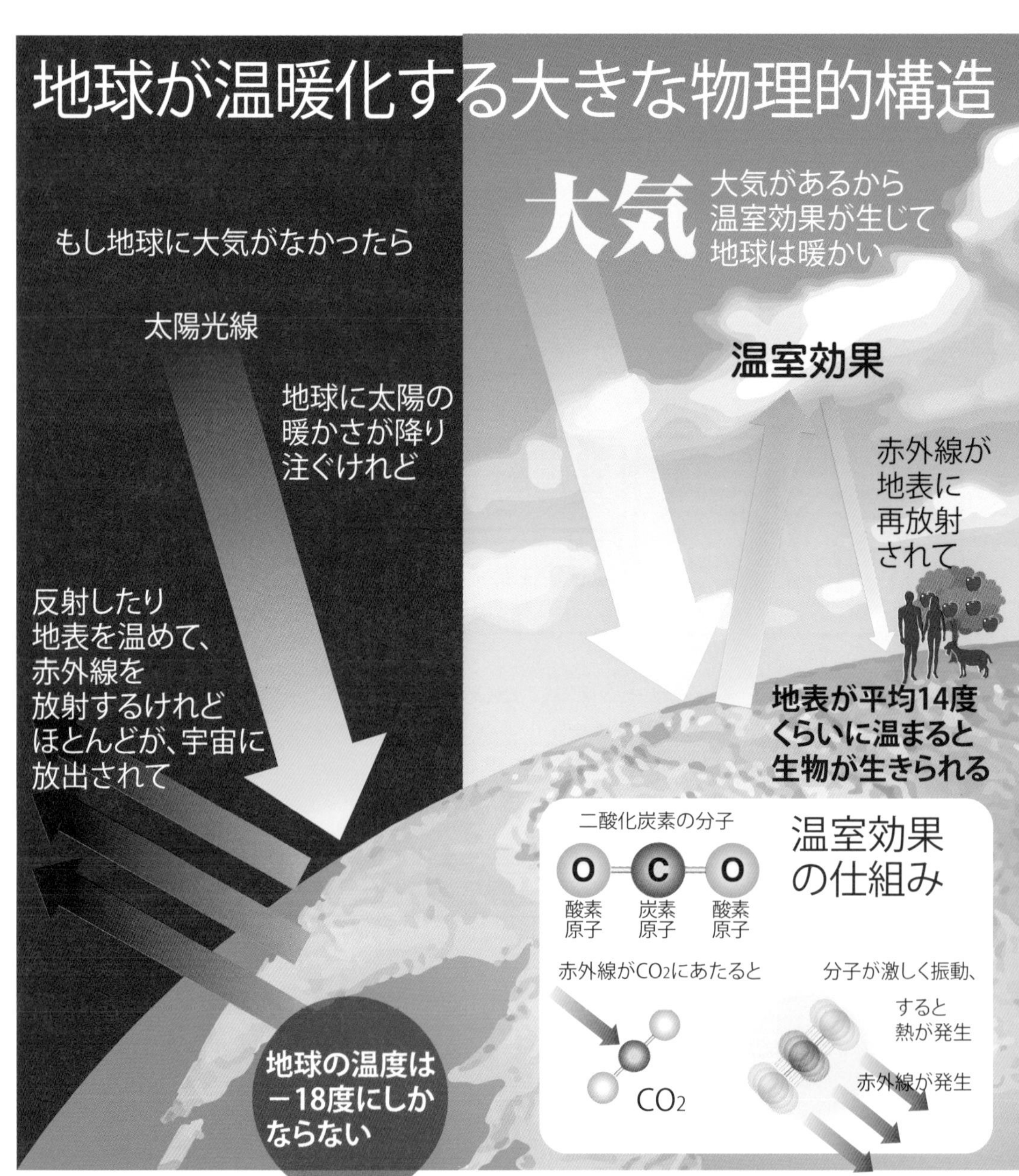

地球には太陽の光が降り注いでいますが、もし大気がなければ、ほとんどが宇宙に反射されてしまい、地球の気温は－18度くらいにしかならないと考えられています。しかし実際には、地表は平均して14度くらいに温められています。その理由は、大気中に含まれる「温室効果ガス」と呼ばれるものが、熱（赤外線）を吸収し、再び地表に放射してくれるからです。

温室効果ガスには、二酸化炭素（CO_2）、メタン、フロンなどがあります。これらの温室効果ガスの濃度が、産業革命が起こった18世紀半ばから上がり始め、20世紀以降、急激に上昇しています。それにともない、温室効果が高まり、世界各地で平均気温が上昇しています。これが「地球温暖化」と呼ばれる現象です。特に、石炭や石油の消費などによって大量に排出されるCO_2の影響が大きく、明らかに人間によってもたらされた異変といえます。

地球温暖化が進み水の循環が変わった

海から海へと戻る水の循環

地球には、膨大な量の水がありますが、いつも同じ状態でとどまっているのではなく、下の図のように、一定のサイクルに従って、形や場所を変えています。

まず、海や川や陸地から蒸発した水は、水蒸気となって上昇します。上空の冷気で冷やされると、水蒸気は雲をつくり、雨を降らせます。地上に降った雨は、土にしみ込んで地下水となり、その一部は湧き水となって地表に出てきます。これが川に流れ、最後は海にたどりつきます。そして再び蒸発し、同じ循環を繰り返すのです。

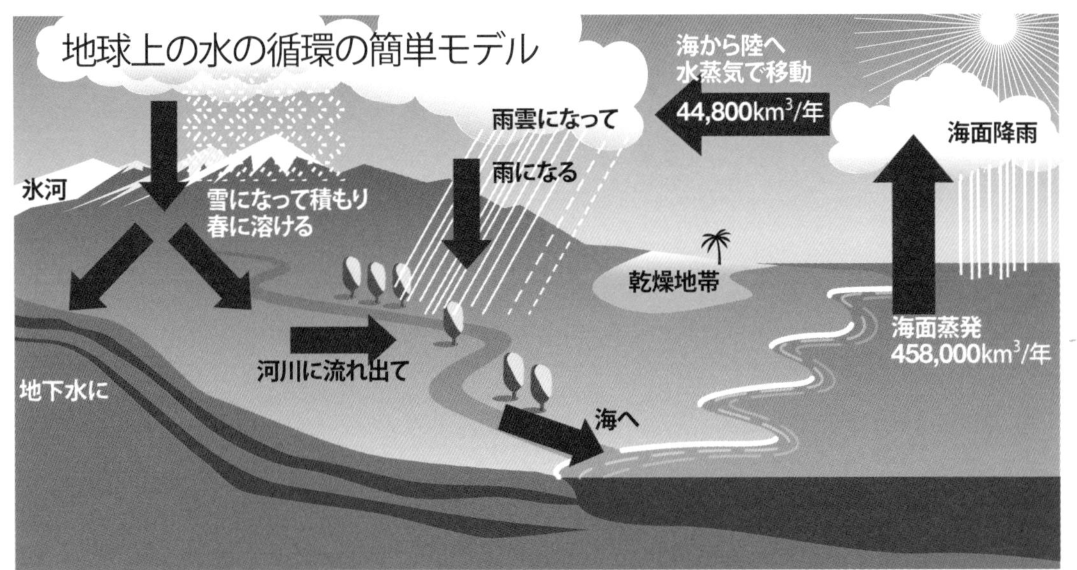

地球温暖化でこのモデルが乱れてしまう

気温が上がると水の動きが変わる

ところが、温暖化によって気温が上がると、水の循環に変化が生じます。そのひとつが、グリーンランドや南極などの氷が溶けて、海面が上昇していることです。海面上昇は、海水が温められて膨張することによっても引き起こされ、海抜の低い地域では、海水が地下水に入り込んで、飲めなくなる被害がすでに起きています。

また、海水の温度が上がると、より多くの水が蒸発し、頻繁に雨を降らせるようになります。特に北半球の高緯度から中緯度にかけての地域で、降雨量が増えると推測されており、近年の日本で豪雨が増えているのも、この温暖化の影響です。

反対に、地中海沿岸や中東、アメリカ西部、オーストラリア南部などの乾燥地帯では、降雨量が減り、いっそう乾燥が進んで水不足になることが予想されています。

このように、気温が上がると、地球規模で水の循環が変わってしまうのです。

このままCO2の排出が続くと、2100年には、地球の気温は4度上昇する

気候変動により水環境が変化し、人類の50%が水不足に苦しむと予想される

地球環境研究センター
「地球温暖化と『水』」2018年9月号「水不足の将来見通し」を参考に作成

2050年までにアジアだけで、さらに10億人が水不足に陥ると予測されている

温暖化で台風が大型化し水害の被害が拡大

猛威を奮った令和元年台風19号

前項で見たように、温暖化は水の循環を大きく変えてしまいます。その結果、世界各地でさまざまな水害が起きています。そのひとつが、大型化する台風による洪水や浸水などの被害です。

日本はもともと台風の多い国ですが、特に2019年は、立て続けに大きな台風が上陸し、各地に甚大な被害をもたらしました。なかでも台風19号は、広範囲にわたって記録的な豪雨を降らせ、堤防の決壊や土砂崩れなどによって、全国8万棟以上の家屋に損害を与えました。

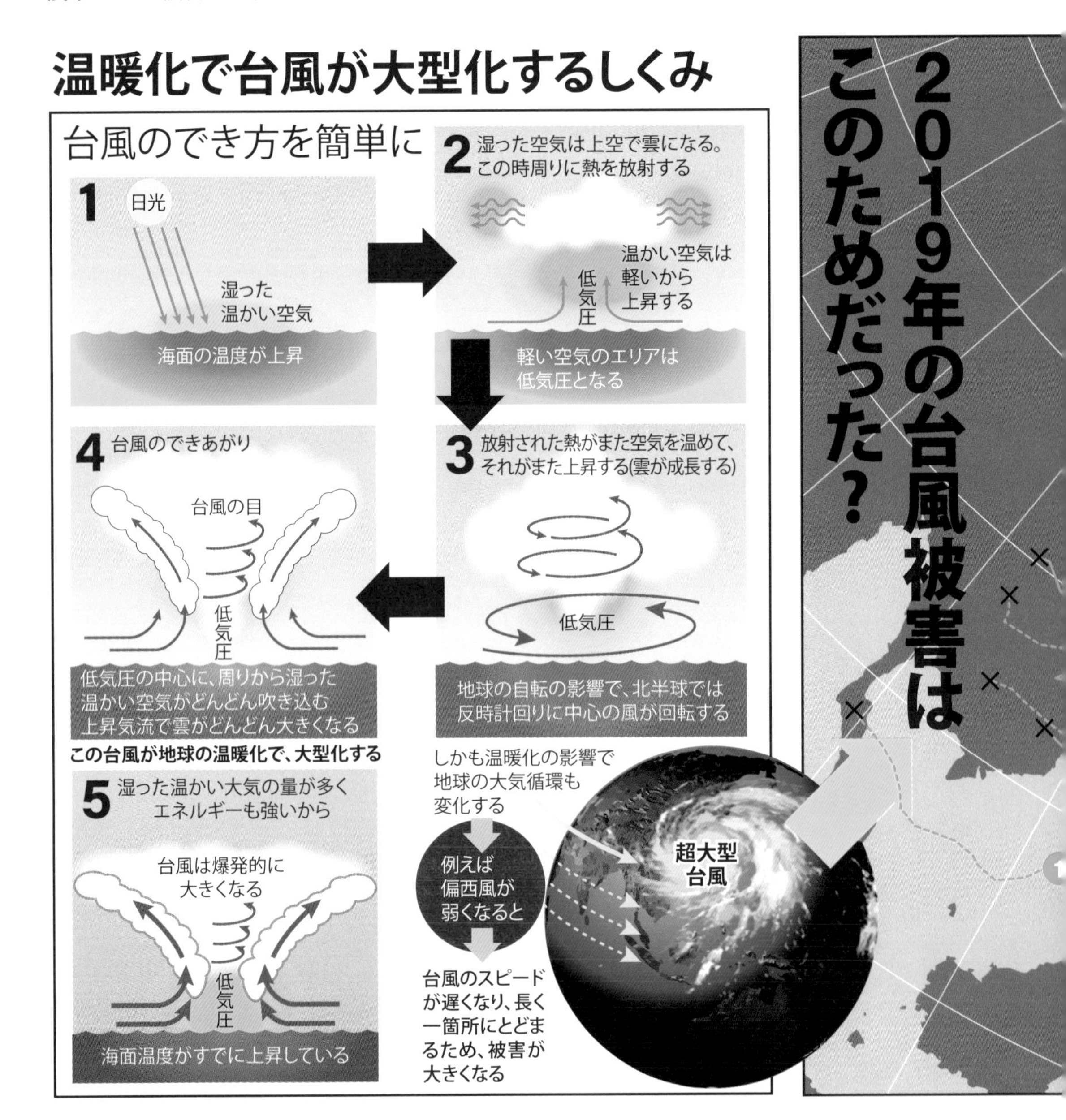

原因は水蒸気の増加と気流の変化

このように最近の台風が大型化しているのは、温暖化によって海水が温められ、海からの水蒸気が増えているためです。左下のイラストのように、台風は熱帯の海上で発生した熱帯低気圧が、水蒸気から生じる熱をエネルギーにして発達したものです。エネルギーとなる水蒸気の熱が増えると、台風の勢力も強まり、暴風雨をもたらします。台風19号の場合は、強風域の大きさが、最大で半径700㎞にも達しました。

台風19号のもうひとつの特徴は、移動速度がきわめて遅く、同じ場所で長時間、大雨を降らせたことです。これは、温暖化によって大気の流れが変わり、日本上空にある偏西風の位置がずれたためと考えられています。台風は偏西風に乗ると東に移動しますが、その偏西風が例年より北上し、台風を移動させる風が弱まってしまったのです。この台風の減速が豪雨と相まって、被害を拡大させることになりました。

世界各地の氷が溶け 地球が水没する?

21世紀中に海面が1m上昇?

2013年に発表された国連のIPCC（気候変動に関する政府間パネル）第5次評価報告書によると、世界平均の海面水位は、1993年以降、1年当たり2.8～3.6mm上昇。21世紀中には、最低でも26㎝、最高で98㎝上昇する、と予測されています。

海面上昇の大きな原因のひとつは、世界中の氷が、温暖化によって溶け出していることです。氷というと北極を思い浮かべるかもしれませんが、北極の氷は海水が凍って浮かんでいるものなので、アルキメデスの原理（p32参照）によって、溶けても体

温暖化で地球の氷が溶け出している

1 北極の氷が溶けている

温暖化の影響で北極の温度は、他地域の2倍上昇している。今世紀末には北極の氷は消滅の予想もある

気象庁資料より作成

2 グリーンランドの氷が溶けている

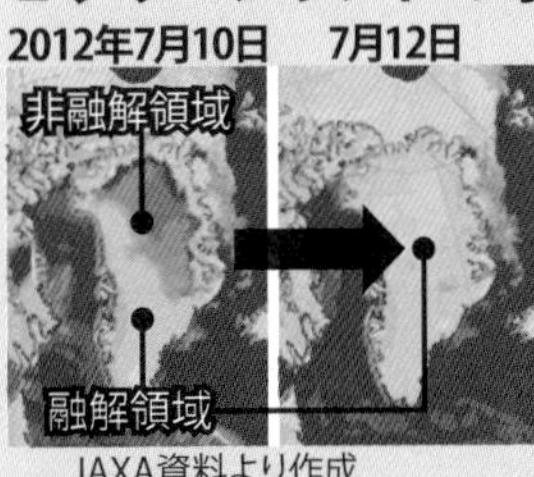

JAXA資料より作成

JAXAの運用する水循環変動観測衛星「しずく」が、夏のグリーンランドの氷床で、全域が溶融温度になったことを観測した。2019年8月には、1日で125億トンという、観測史上最大の氷が溶け出した

3 氷河が溶けている

スイスアルプスのアレッチ氷河

世界の高山の氷河は、1940年代から溶融が進み、1980年代からそのスピードを速め、アレッチ氷河のように消えたものもある

4 シベリアなどの永久凍土も溶けている

北半球の20%を占める永久凍土も、温暖化で溶け出している。土中のメタンガスなどが大気に放出され、温暖化を促進させると危惧されている

もし世界の海面が6メートル上昇したら 水辺にある巨大都市はどうなるのだろう？

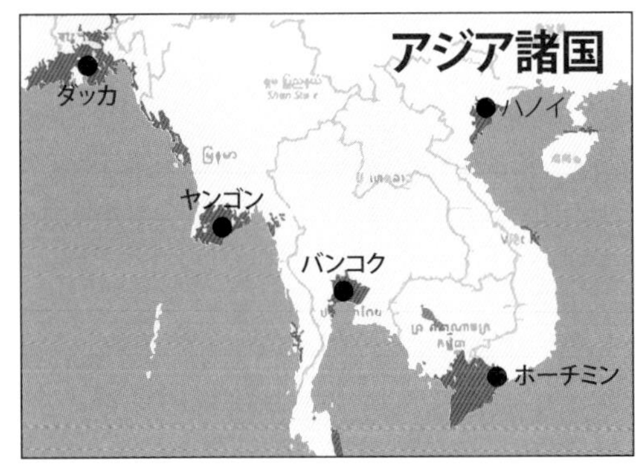

積は変わらず、海面上昇にはあまり影響しないと考えられています。

世界各地で溶け続ける氷河

影響が大きいのは、降り積もった雪が固まってできた氷床や氷河です。氷床とは大陸を覆う氷河を指し、現在の地球上には南極とグリーンランドのみに存在し、いずれも少しずつ溶けて減少しています。特にグリーンランドでは、1992年以降、氷床の減少が加速しています。また、山岳地帯にある氷河も、シベリアやカナダなどにある永久凍土も、ほぼすべてが縮小しています。

こうして溶けた水は海に流れ、海面の水位を上昇させます。グリーンランドの氷床だけでも、すべて溶けてしまったら、海面は7m上昇するといわれています。世界の主要都市の多くは、海の近くに位置しているため、海面上昇の影響は免れないでしょう。下の図に示したように、東京をはじめ多くの都市が、沿岸部から徐々に水没してしまうのです。

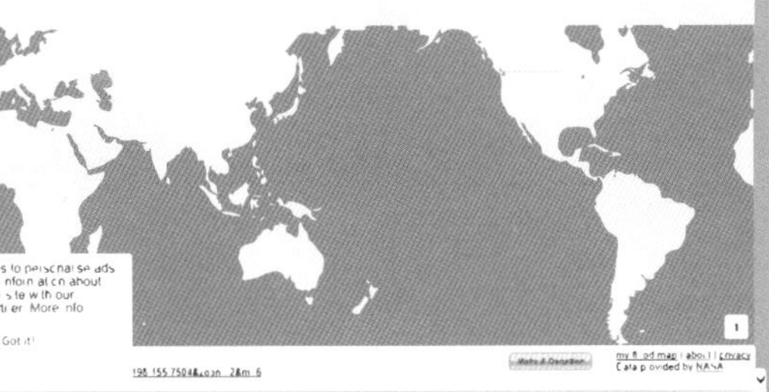

さまざまな研究成果をもとに、海面上昇の影響をシミュレートするサイトが開設されている。その結果を見てみよう

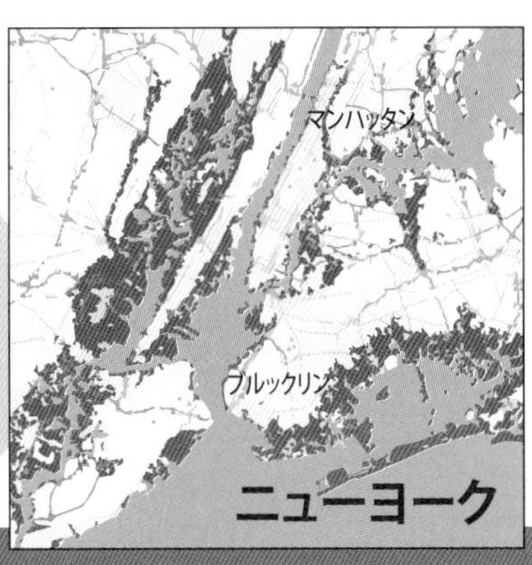

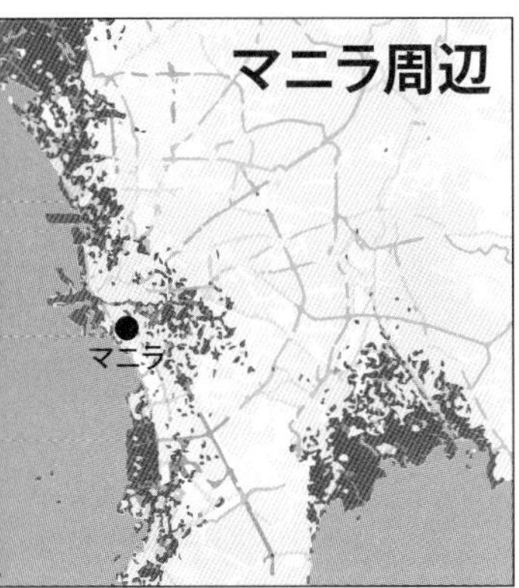

干ばつによってやがて起こる食糧危機

農業を直撃する干ばつ

温暖化によって降雨量が増える地域がある一方､乾燥地帯ではますます乾燥が進み、深刻な干ばつが起こっています。干ばつとは、長期間雨が降らなかったり、極端に雨が少なかったりして、土壌が乾ききってしまうこと。作物が育たなくなってしまうため、農業に大きな打撃を与えます。

特にアフリカでは、たびたび干ばつが起こり、深刻な食糧危機が発生。2018～19年には、世界3大瀑布のひとつ、ビクトリアの滝が干上がるほどの大干ばつに見舞われ、4500万人が食糧不足に直面しています。

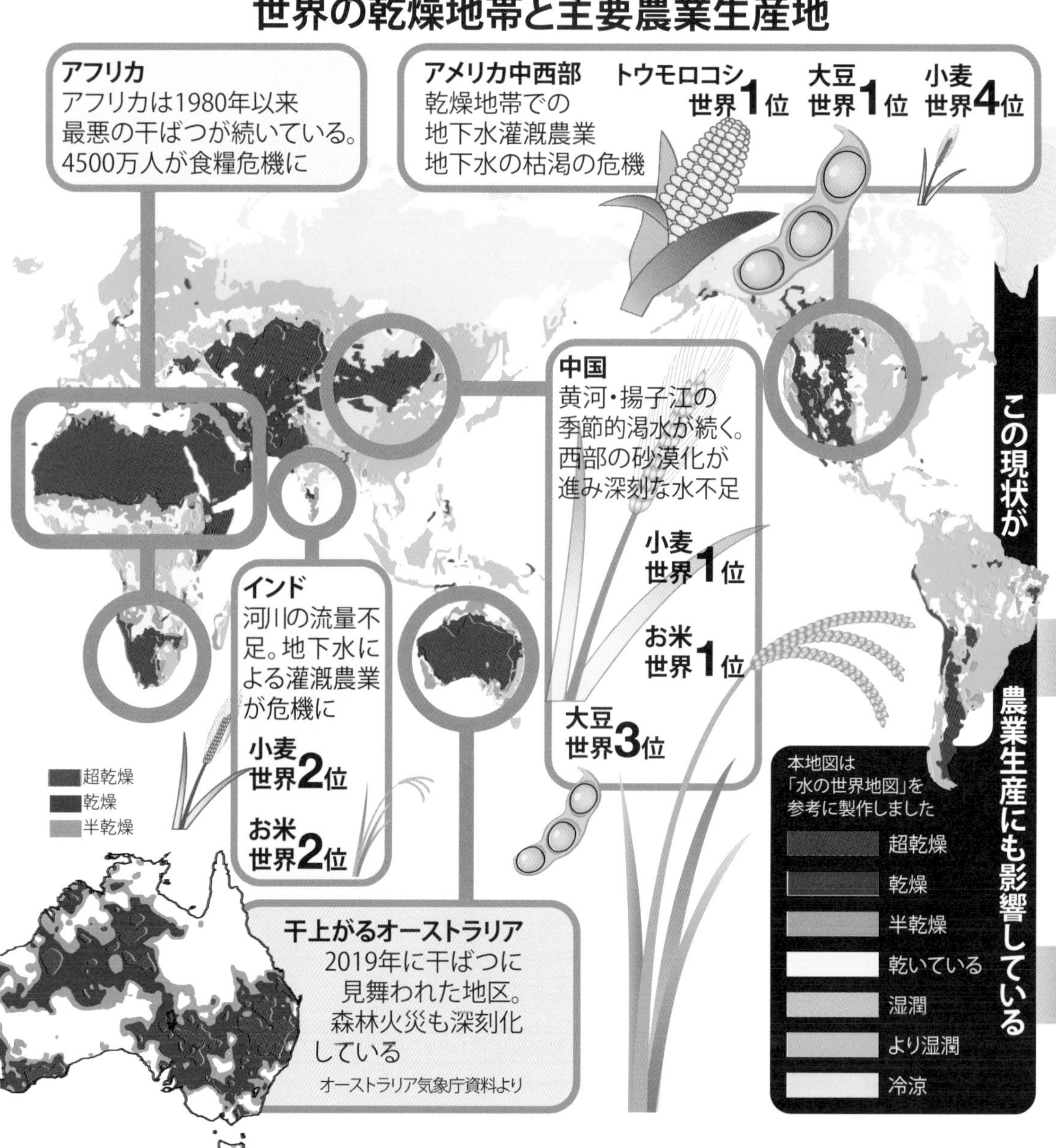

農業を直撃する干ばつ

日本の農業・食品産業技術総合研究機構（農研機構）の研究によれば、1983〜2009年の27年間に、世界の主要穀物生産地のうち、じつに4分の3が干ばつの被害を受けたことがあり、その累計被害総額は1660億ドルにのぼるといいます。

トウモロコシ、米、大豆、小麦といった穀物は、人類が古代からつくり続けている大切な主食です。しかし、それらの主要穀物の産地にも、温暖化の影響がしのび寄っています。例えば、トウモロコシと大豆の生産量世界第１位のアメリカでは、2012年に深刻な干ばつが起こっていますし、地下水をくみ上げる灌漑農業によって、砂漠化も進行しています。同じく穀物生産地の中国やインドでも、干ばつや河川の渇水、地下水の枯渇などの問題が起きています。

温暖化は、干ばつとは正反対の洪水ももたらしますが、どちらも農業に致命的な打撃を与え、深刻な食糧危機を招くのです。

温暖化による農業生産への影響

日本の農研機構の研究によって、地球温暖化が過去27年間の農業生産に与えた影響が地図で示された。赤で表示された地区は減産被害のあった地域。主要生産地が被害を受けている

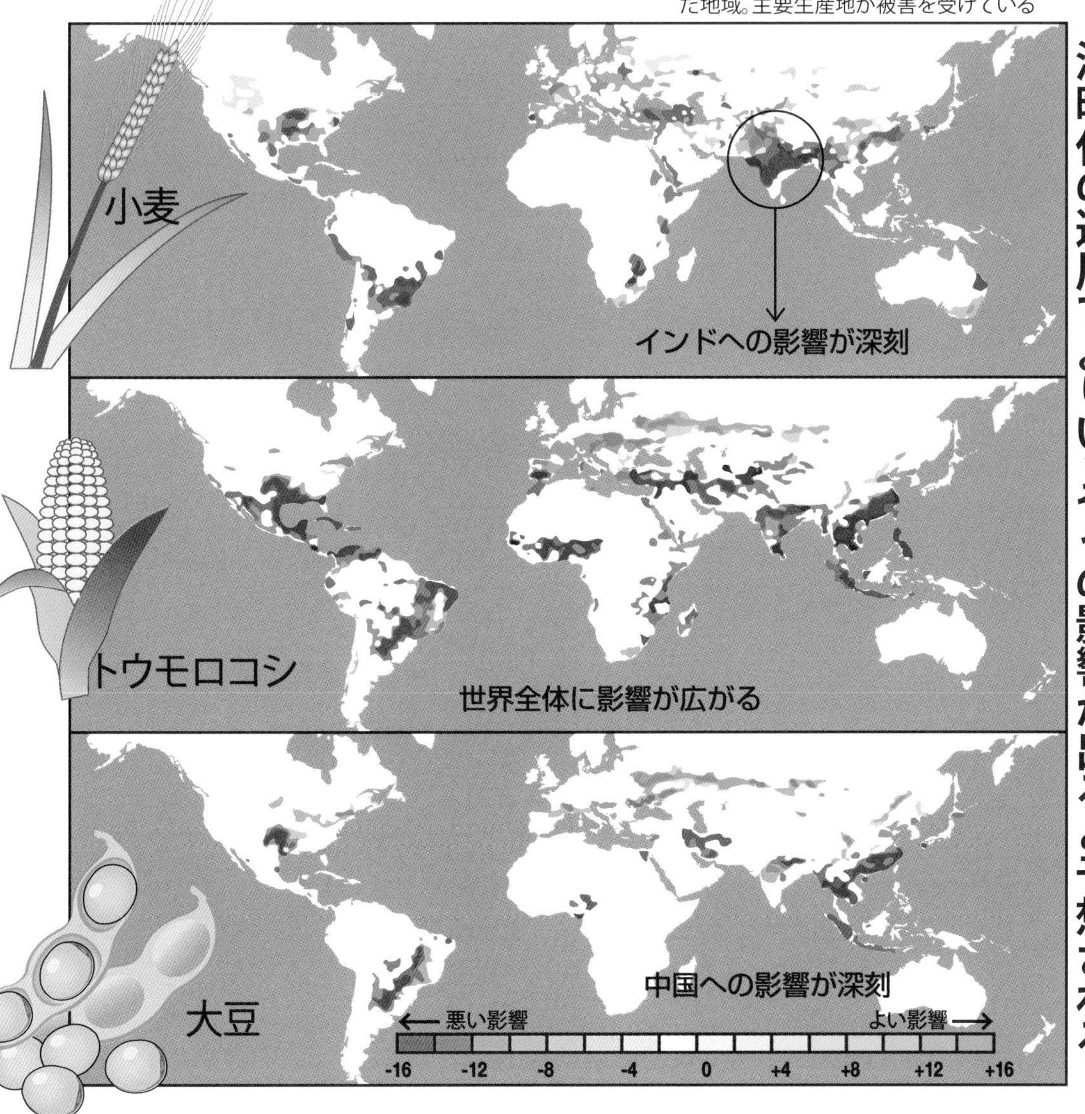

温暖化の進展でよりいっそうの影響が出ると予想される

水環境の変化によって崩れていく生態系

気温上昇で生物の3割が絶滅

温暖化による水の異変は、人間だけでなく、あらゆる動植物に影響を及ぼします。

下の地図は、ユーラシア大陸の気候変動を予想したものです。それによって、生態系がどのように変化するかを、右ページのイラストに表してみました。

地球の気温が上がると、暑さに弱い生き物は、北へ北へと移動していきます。最北の地では氷が溶け、ホッキョクグマなどの生存が脅かされています。一方、拡大する砂漠地帯では、干ばつによって水や食べ物が失われ、環境に適応できないものは淘汰

温暖化でユーラシア大陸の気候はこう変化する

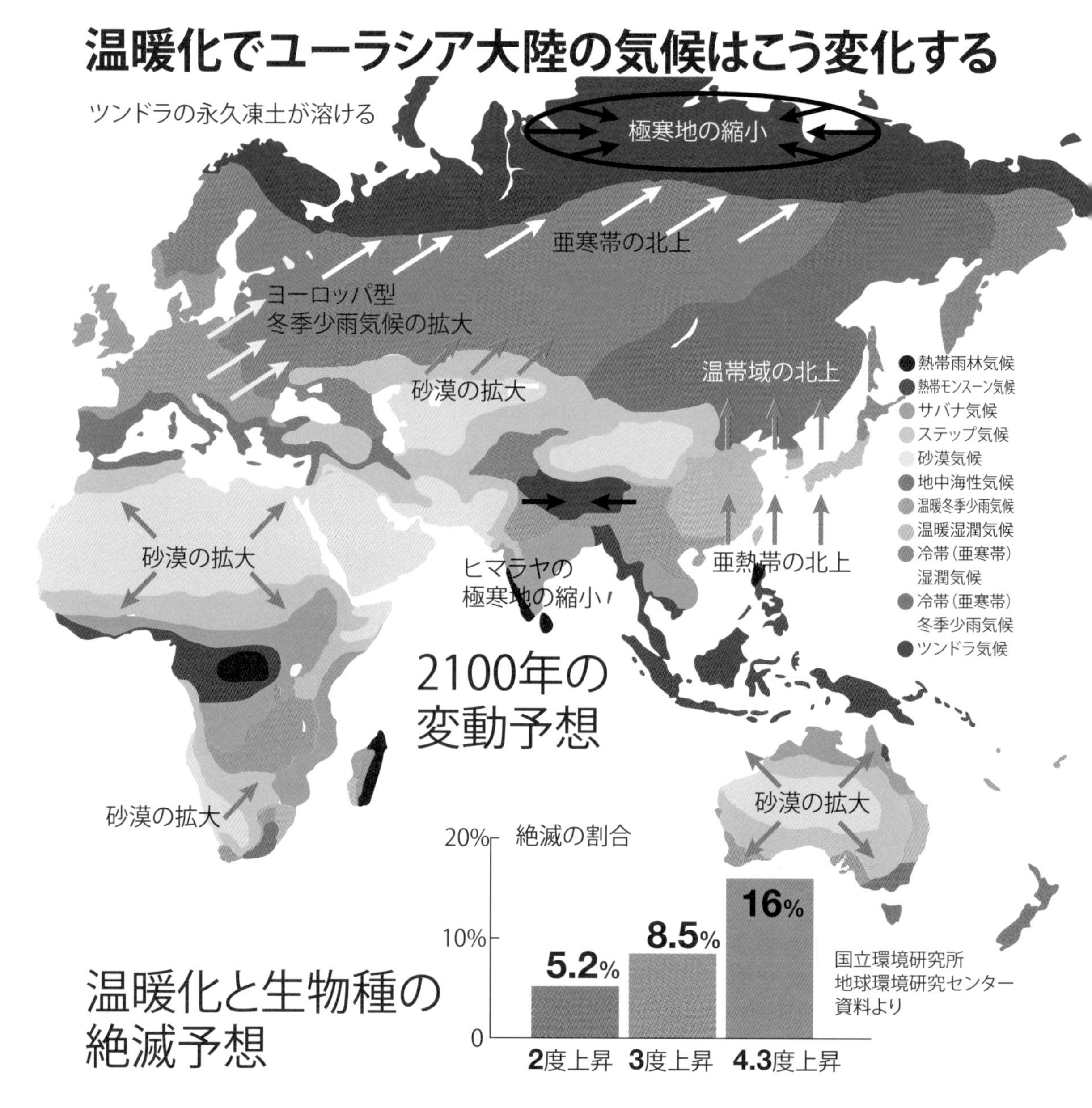

されていきます。自力で移動できない植物は、さらに過酷な状況に置かれます。地球の平均気温が1～2度上がっただけで、生物の20～30%が絶滅の危機に瀕するとまでいわれているのです。

危機にさらされる淡水生物

温暖化による水危機の影響を真っ先に受けるのは、川や湖など淡水に暮らす生き物です。淡水は、最も生物多様性に富む環境であり、それぞれの場所に適応したさまざまな生き物が生息しています。しかし、水温が上がると、冷水を好む魚類は上流域へと移動し、種の分布が変わってしまいます。洪水や渇水が起こると、川の水質が悪化し、生物が生存できなくなる可能性もあります。

さらに、工業排水、ダム建設、森林伐採などの人為的原因が、淡水環境の生態系破壊に拍車をかけ、1970～2000年の30年間だけで、淡水種の数が半分に減っています。魚介類の減少は、漁業にも影響を与え、いずれは人間の暮らしに跳ね返ってきます。

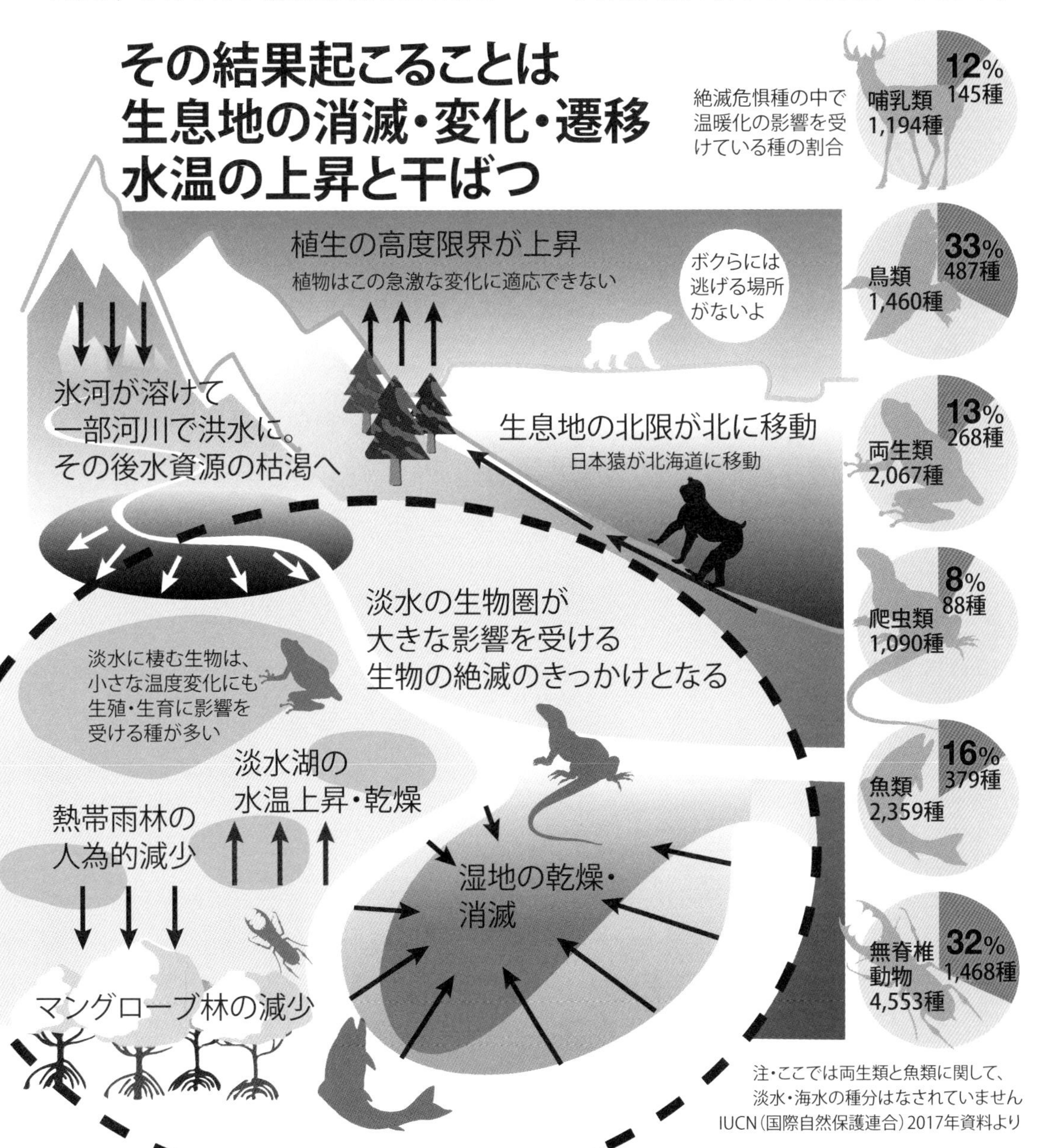

とまらない人口増加が水ストレスを加速化

アジア、アフリカで進む人口増

水危機を招いた原因は、温暖化による気候変動だけではありません。爆発的な人口増加も、大きな原因のひとつです。

現在、世界人口は約77億人。日本など一部先進国では少子化が進み、いずれ人口が減ると予想されていますが、世界全体で見れば人口は増え続け、2050年には97億人に達する見込みです。人口増が進むアジア諸国のなかでも、インドの増加率が高く、2027年頃には中国を抜いて世界人口第1位になるとみられています。また、サハラ砂漠以南のアフリカは、2億人を抱えるナ

2030年までに人口1,000万人以上のメガシティが多数誕生する

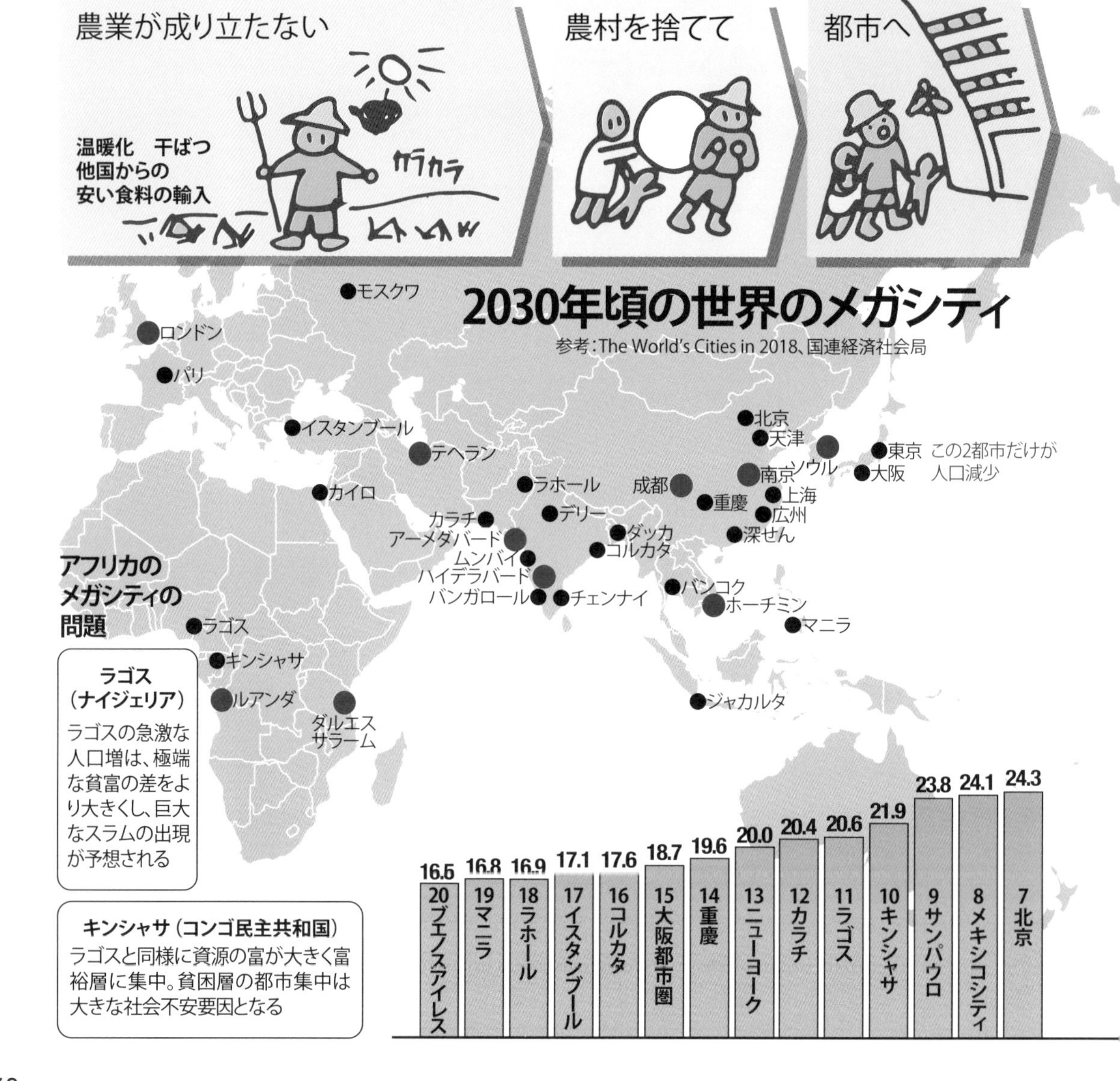

イジェリアを筆頭に人口が急増。2050年までに倍になる、とさえいわれています。

過密化する都市の水ストレス

現在、世界人口の55％が都市部に住んでいます。この数字は、2050年には68％に増えると国連は予測しています。また、メガシティと呼ばれる人口1000万人以上の都市は、世界に33ありますが、2030年までには43に増え、その多くが途上国や新興国に誕生する、とも予測されています。

都市に人口が急速に集中すると、さまざまな問題が発生します。そのひとつが、水不足です。p10–11で見たように、水があっても人口が多いと、1人当たりの水の量が少なくなってしまいます。今後、人口増が予想される途上国では、上下水道の整備が遅れているうえ、貧しい人たちが住むスラム街は、公共サービスが届かず、不衛生な環境下にあります。スラム人口は、現在10億人ともいわれ、このまま増え続ければ、深刻な水ストレスにさらされるでしょう。

2050年頃には世界人口の68%が都市に住む

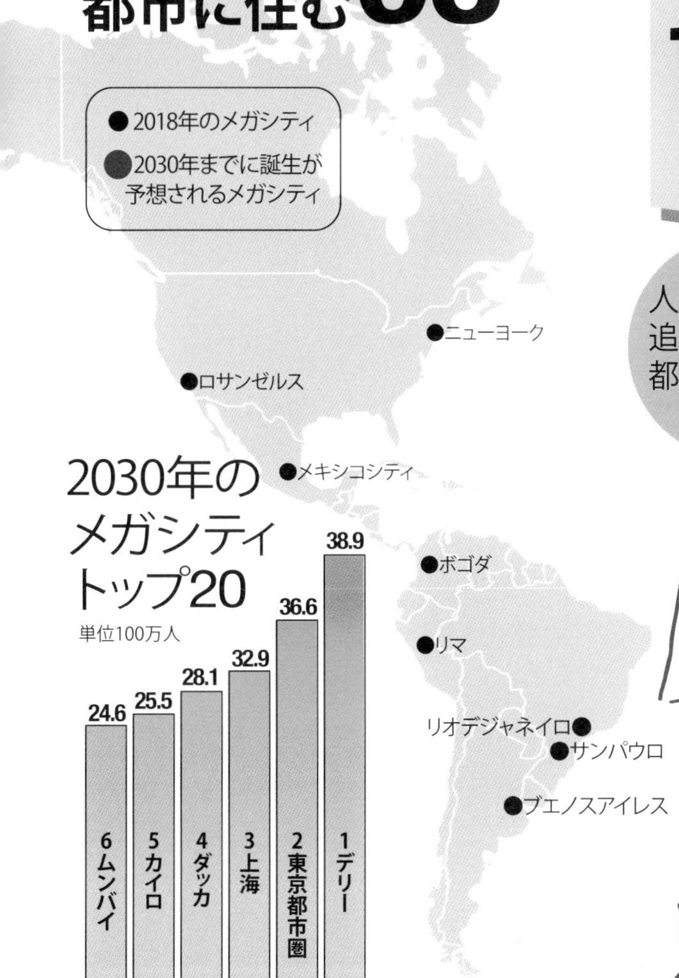

● 2018年のメガシティ
● 2030年までに誕生が予想されるメガシティ

ニューヨーク
ロサンゼルス
メキシコシティ
ボゴダ
リマ
リオデジャネイロ
サンパウロ
ブエノスアイレス

2030年のメガシティトップ20

単位100万人

順位	都市	人口
1	デリー	38.9
2	東京都市圏	36.6
3	上海	32.9
4	ダッカ	28.1
5	カイロ	25.5
6	ムンバイ	24.6

その数50億人以上

そして、そのうち16億人以上が都市スラムに住むと予想される

人口増に追いつかない都市インフラ

水不足、トイレ不足
不衛生な住環境から
新たな伝染病の
危険性も

人間の暮らしや産業が川や海を汚している

汚れた川で3億人が健康被害

水危機を招いた原因のひとつとして、忘れてはならないのは、私たち人間が、大切な水を汚していることです。

日本では高度成長期の1950〜60年代、工場の排水が川や海に直接流され、含まれていた有毒物質によって多くの人が奇病に侵され、各地で公害が問題になりました。以来、半世紀かけて、水質は改善されましたが、日本の教訓は生かされず、世界ではいまも産業排水や生活排水の垂れ流しによって川が汚染され、3億人も人々が健康リスクにさらされています。

水を汚染する有害物質

右に記したように、水を汚染する物質は、さまざまありますが、どれも人間の暮らしや産業活動のなかから排出されたものです。川に流れ出た有害物質は、人間だけでなく、水に棲む生き物にも影響を与えます。厄介なのは、地下水の汚染です。地表から地下深くに染み込んだ有害物質は、河川と違って取り除くのが極めて困難です。

さらに深刻なのが、海洋汚染です。有害物質のなかには、かつて農薬に使われたDDTのように、たとえ現在、使用が禁止されていても、過去に排出された分が、いつまでも残っているものがあります。現在、新たな汚染源として問題になっているプラスチックごみは、砕けて微小化すると、これらの有害物質を吸着して濃度を高め、生態系に影響を及ぼすとみられています。

水系を汚染する様々な物質

- 鉱工業が排出する金属類
カドミウム 水銀 鉛 銅 亜鉛 クロム
- 化学工場が排出する汚染物質
- 農業が排出する農薬などの有害物質
- 酪農業が排出する抗生物質など
- 人口密集が排出する汚水
- 都市が排出する生活排水
- 急増したプラスチック製品

2016年の国連環境計画(UNEP)の報告によると、アジア、中南米、アフリカの河川汚染によって、3億人が健康ストレスにさらされている

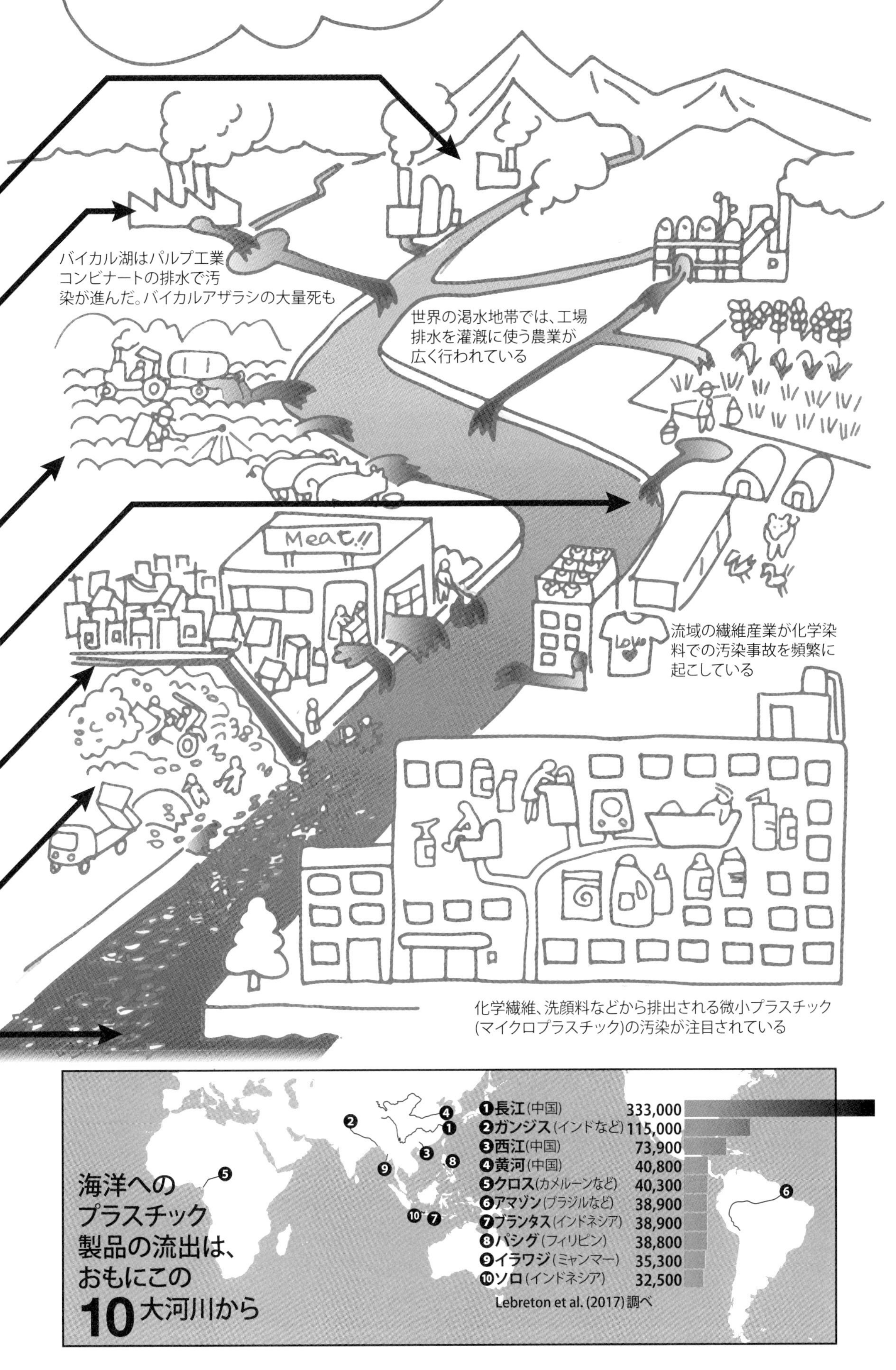

バイカル湖はパルプ工業
コンビナートの排水で汚
染が進んだ。バイカルアザラシの大量死も
世界の渇水地帯では、工場
排水を灌漑に使う農業が
広く行われている
Meat!!
Love
流域の繊維産業が化学染
料での汚染事故を頻繁に
起こしている
化学繊維、洗顔料などから排出される微小プラスチック
(マイクロプラスチック)の汚染が注目されている
海洋への
プラスチック
製品の流出は、
おもにこの
10大河川から
❶長江(中国) 333,000
❷ガンジス(インドなど) 115,000
❸西江(中国) 73,900
❹黄河(中国) 40,800
❺クロス(カメルーンなど) 40,300
❻アマゾン(ブラジルなど) 38,900
❼ブランタス(インドネシア) 38,900
❽パシグ(フィリピン) 38,800
❾イラワジ(ミャンマー) 35,300
❿ソロ(インドネシア) 32,500
Lebreton et al. (2017) 調べ

水質汚染で命を落とす アフリカの子どもたち

幼児を襲う下痢とマラリア

水が汚染されると、飲み水として使えないばかりか、さまざまな病気をもたらします。特にいま問題になっているのは、途上国の多くの子どもたちが、水が原因で命の危機にさらされていることです。

ユニセフの報告書によると、2018年に5歳未満で亡くなった子どもの数は、世界全体で530万人。その死因の内訳を示したのが、右ページの円グラフです。このうち水に関係しているのが、下痢とマラリアです。

下痢が原因で命を落とした子どもは、約44万人にのぼります。下痢を引き起こすコ

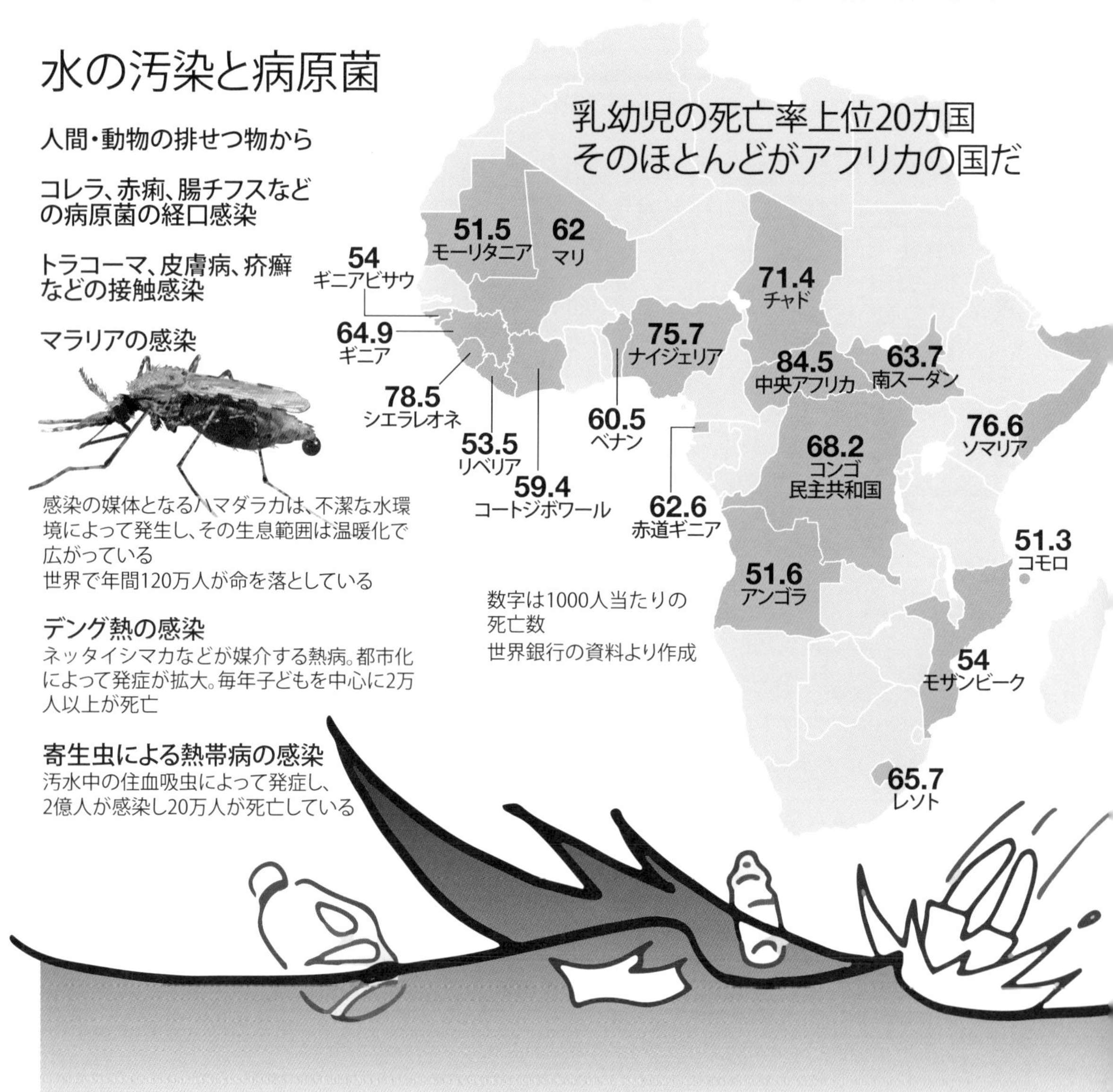

レラ、腸チフス、赤痢などの病気は、患者の排せつ物に汚染された水や食べ物から感染します。そのため、下水道やトイレの設備がなく、排せつ物が適切に処理されていない地域では、特に発症しやすくなります。

また、マラリアで亡くなった子どもの数は、約26万人。マラリアは、よどんだ水に発生するハマダラカが媒体となって、マラリア原虫に感染することで発症します。栄養状態が悪く、抵抗力の弱い子どもは重症化しやすく、命の危機にさらされます。

サハラ以南アフリカの緊急課題

下痢やマラリアで亡くなる子どもが最も多いのは、サハラ砂漠以南のアフリカです。この地域は、安全な飲料水が手に入らず、清潔なトイレが使えない人が、世界で最も多い地域でもあります。貧しい農村部に暮らす人が多く、衛生に関する知識も不足しています。衛生的な水環境を整え、手洗いなどの習慣を徹底しさえすれば、多くの子どもたちの命を救うことができるのです。

5歳未満児の主な死亡原因

（2018年）

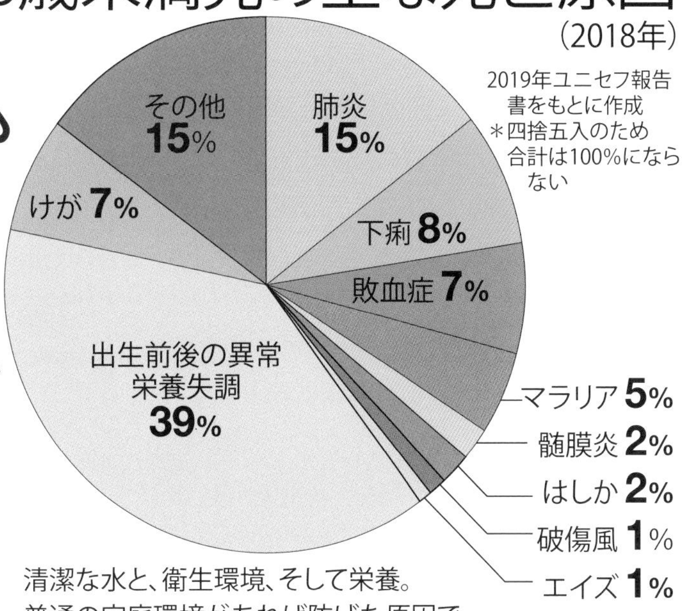

2019年ユニセフ報告書をもとに作成
＊四捨五入のため合計は100%にならない

肺炎 15%
下痢 8%
敗血症 7%
マラリア 5%
髄膜炎 2%
はしか 2%
破傷風 1%
エイズ 1%
出生前後の異常 栄養失調 39%
けが 7%
その他 15%

そして世界の5歳未満の子どもたちの4分の1が、水・大気の汚染が原因で死亡している

清潔な水と、衛生環境、そして栄養。
普通の家庭環境があれば防げた原因で、
子どもたちは亡くなっている

利水・治水のダムが水循環を壊している

崩れるダムの安全神話

人類は、川の水を利用するために、さまざまな工夫を凝らしてきました。そのひとつが、川をせき止め、堤防で囲って水を貯めるダムの建設です。その歴史は古く、すでに古代エジプトでは、農地などに水をひくためのダムがつくられていました。

技術の進歩によって、大規模なダムが建設されるようになったのは、20世紀前半のこと。1936年に完成したアメリカのフーバー・ダムを皮切りに、世界各地で巨大なダムがつくられるようになりました。

ダムには、大きく分けて２つの役割があります。ひとつは、農業用水や生活用水、水力発電などに利用する「利水」、もうひとつは、洪水や渇水に備えて川の水の量を調節する「治水」です。しかし近年ではダム建設反対運動が起こり、建設中止が相次いでいます。その理由は、さまざまあります。

まず、巨大なダム建設のために、そこに住む人々は集落ごと立ち退きを強いられます。集落は水の底に沈み、自然環境も破壊されてしまいます。人工的につくられた貯水池では、水没した植物や有機物から大量の温室効果ガスが放出され、温暖化を促進します。また、想定外の大洪水が発生すると、ダムが決壊して洪水被害を拡大させ、反対に、自然な水循環を止めてしまったことで、下流に渇水被害をもたらす可能性もあると指摘されています。

ダムがあれば水害を防ぐことができて安全、という神話は、崩れつつあるのです。

世界は巨大ダムの時代に

1942年　グランド・クーリー・ダム(アメリカ)

堤の長さが世界最長の1271m

1954年　オーエン・フォールズ・ダム(ウガンダ)

貯水量世界一。琵琶湖98杯分

1959年　カリバ・ダム(ジンバブエ・ザンビア)

ダムの電力は地元には供給されず、多国籍企業が独占

1965年　アコソンボ・ダム(ガーナ)

貯水量世界第４位

1952年　板橋ダム(中国)

板橋（ばんきょう）ダムは大躍進政策時代の欠陥工事の産物。1975年の豪雨で決壊。この洪水で26,000人以上が死亡した

1958年　三門峡ダム(中国)

黄河をせき止める大工事の末に完成。しかし、黄河の泥が堆積し、2年で機能しなくなった。大改修したが貯水量は計画の3分の1以下に

1970年　アスワン・ハイ・ダム(エジプト)

当時のナセル大統領はナイル川に悲願のダムを建設した

1986年　グリ・ダム(ベネズエラ)

発電量世界第3位

2009年　三峡ダム(中国)

揚子江をせき止めた、発電量世界一の巨大ダム。計画段階から、その構造的な強度が疑問視されていた。現在、下流域での渇水、上流の水質汚染などの問題が浮上している

巨大ダムによる利水・治水は
このフーバー・ダムから始まった

- 産業・農業用水の供給
- 水力発電での電力供給
- 洪水を防止する治水
- 渇水を防止する治水

河川の総合開発

デカイ!!

アメリカ第32代大統領フランクリン・ルーズベルトは、このダムの完成式でこう述べた

「来た、見た、驚いた」

ルーズベルトは、テネシー川流域に多数のダムを建設し、この公共投資によって第1次世界大戦後の大不況を克服しようとした。この政策は

ニューディール政策

と呼ばれた

1935年に完成。その高さ221m。コロラド川をせき止めた

巨大ダムは近代国家の象徴だった

しかし、

ダム建設反対の声が世界各地で上がっている

建設費が巨額すぎ、建設時汚職が蔓延する
中国三峡ダム建設に関しては、当初から汚職批判の声が上がっていた

環境破壊と、人々の立ち退き被害が大きすぎる

下流の渇水対策にならず、むしろ水不足を発生させる

発電のため渇水時でもダムは水を貯めなければならず、下流に流せない

湖面からの蒸発で水が無駄になっている

ダム湖に沈んだ樹木・植物が腐敗し、多量のメタンガスを発生させる
メタンの温室効果は二酸化炭素の20倍

大洪水を防げない むしろ洪水を生み出す

ダムは限界貯水量を超えると緊急放流し、下流で洪水が発生する

海が死ぬ

ダムが川の栄養豊富な泥(シルト)をせき止めて、海がやせてしまうため、海の生態系が壊れてしまう

乾燥地の農業を支える地下水が枯渇の危機に

行きすぎた地下水の農業利用

人間は、さまざまな用途に水を使っていますが、最も消費量が多く、世界の年間水使用量の約7割を占めるのは農業です。現在、この農業用水として、地下水が過剰にくみ上げられ、世界各地で深刻な水不足に陥る事態が発生しています。

雨の多い日本では、農業用水として、川や湧き水を利用するのが一般的です。田畑にひかれた水のうち、一部は蒸発して雨になり、一部は地下に染み込んで、やがて川に流れていきます。つまり、自然の水循環に近い状態が保たれます。

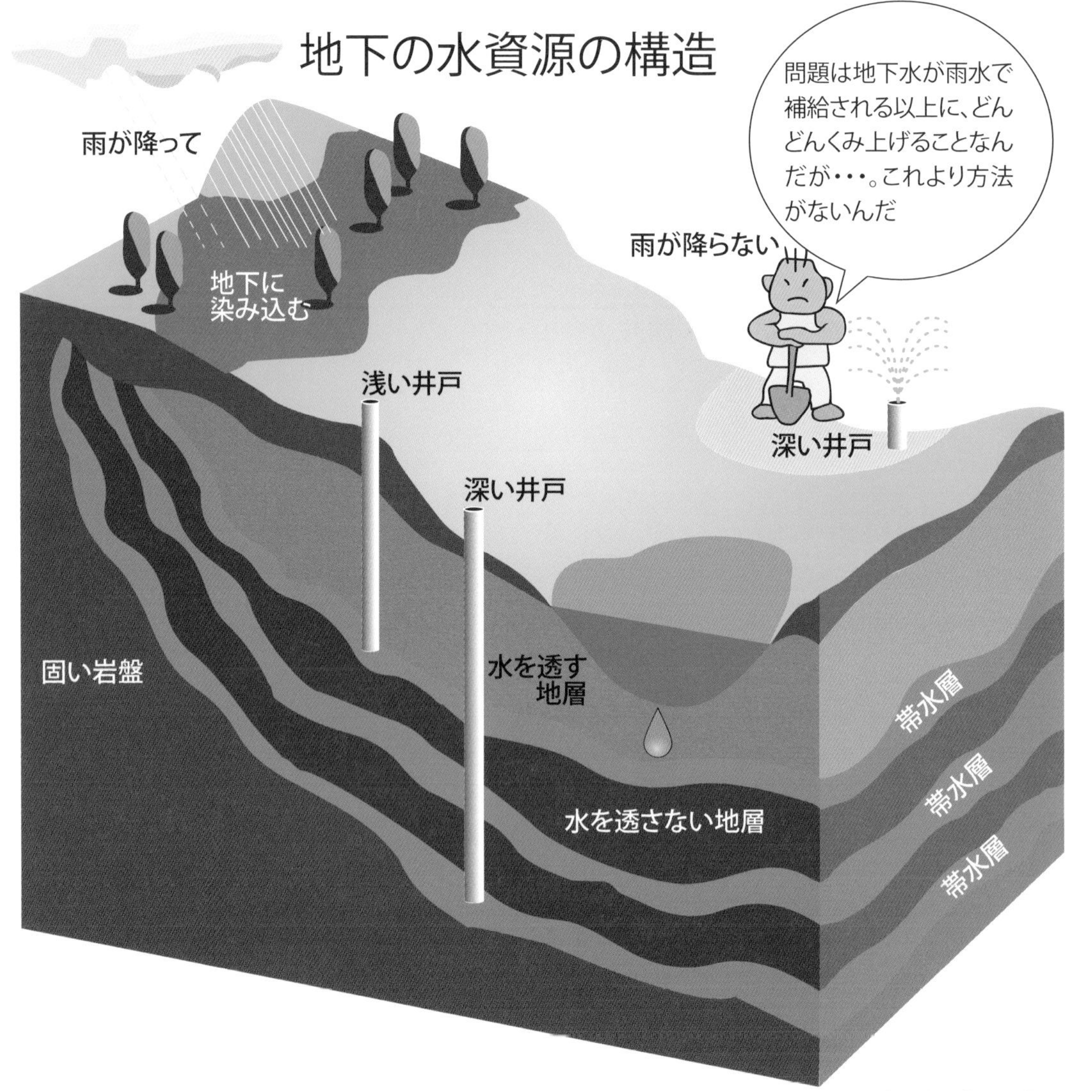

日本製を筆頭に1台600ドルの小型揚水ポンプの登場が、地下の水資源利用を劇的に変えた。インドでは毎年100万台のポンプが導入された

ところが、雨の少ない乾燥地帯で、地下水をどんどんくみ上げてしまうと、水が循環しなくなります。雨によって補填される地下水より、くみ上げる地下水の量が上回り、やがては枯れてしまうのです。

 世界同時に食糧不足に!?

地下水で満たされた地層を「帯水層」といいます。水需要の増加と強力なポンプの普及により、世界中の帯水層に無数の井戸が掘られるようになり、地下水位が著しく低下しています。p16–17で取り上げたアメリカのオガララ帯水層は、その一例です。

多くの人口を抱える中国とインドでも、地下水の過剰揚水が深刻化しています。すでに中国では、水不足によって小麦や米の生産量が減少。インドの穀物生産量も、いずれ打撃を受けるといわれています。このほか中東やアフリカでも、地下水くみ上げによる水不足が進行しています。このままいくと、世界中でほぼ同時期に帯水層が枯渇し、食糧危機に陥りかねないのです。

コロラド州デンバー盆地

灌漑を地下水に頼る農業地帯では、水位が80m近く下がった場所もあり、枯渇が懸念されている

リビアの渇水

ヌビア砂漠の帯水層から巨大水路でリビアに水を引く、カダフィ大佐の計画は頓挫。リビアの渇水は続く

中国北西部の穀倉地帯の枯渇

華北平原を中心に小麦農家は過剰な地下水のくみ上げで、水位の低下に苦しむ。現在は地下300mからくみ上げ、枯渇が想定される

オガララ帯水層の枯渇

アメリカの灌漑農業水の25%を供給している水源も、大きな水位の低下が続いている。そのため枯渇が懸念されている

カリフォルニアの地盤沈下

カリフォルニア州中部でも、干ばつが続くために地下水をくみ上げすぎ、地盤沈下が深刻化している

北西アフリカ地下水帯の枯渇

北アフリカのほとんどの地域に水を供給する淡水源にも、50年後には枯渇の危機が

国ごと乾くイエメン

国連の調査では最も早く渇水する国といわれる。首都の移転も想定される

インド地下水の枯渇の危機

穀倉地帯であるパンジャブ州など7つの州では、灌漑の90%が地下水。その帯水層の枯渇で、インドの食料生産の25%が失われる

世界の食糧の半分は温暖、乾燥地で作られ、
水は地下から供給されている
その地下水が過剰なくみ上げで枯渇しようとしている

温暖化のドミノ倒し 臨界点を超える日がくる!?

5度上昇で氷床が完全融解

地球がある気温を超えたら、後戻りのできない急激な変化が起こる、と警鐘を鳴らす声があります。温暖化の影響で、じわじわと起きている変化が、「臨界点」と呼ばれる閾値を超えると、ドミノ倒しのように連鎖して止まらなくなるというのです。

わかりやすい例として、グリーンランドの氷床を取り上げてみましょう。気温が上昇するにしたがって、氷床は少しずつ溶けて減っていきます。予想では、気温が１、２度上がっただけでは、あまり大きな変化は見られず、４度くらいまでは、ゆるやかなカーブを描くようにして減少していきます。ところが、5度を超えたあたりで、一気に減少が進み、あっという間にゼロになってしまうと考えられています。この急激な進行を引き起こす限界値が、臨界点です。

止まらない温暖化ドミノ

IPCC（気候変動に関する政府間パネル）によれば、工業化以来、人間活動によって温暖化は１度進み、このままでは2030～2050年には1.5度まで進むといいます。

右ページのイラストは、地球の気温が何度上がったら、どんな変化が連鎖して起きるかを表したイメージ図です。実際には、異なる変化が同時進行して起こり、相互に作用しながら加速化していくと考えられていますが、ここでは簡略化しています。

まず、気温上昇によって地球上の氷床や氷河が溶けると、溶けた水が海に流れ出して海面が上昇します。多くの陸地は水没し、海流も変わってしまうでしょう。生態系は大きく狂い、気候変動による水不足や食糧不足が、人間の営みに打撃を与えます。最終的には経済や産業は衰退し、壊滅的な状況に陥ってしまいます。

一連の変化が、雪崩のように起きて後戻りできなくなる、と考えられているのは、気温が５度上昇したときです。しかし、すでに水不足や水害、水没などの被害を受けている国や地域は、２度の上昇でも、重大なリスクを背負います。世界はいま、協調して温暖化を1.5度で食い止める努力をすることを求められています。

地球環境の臨界点は グリーンランドの氷床の融解から

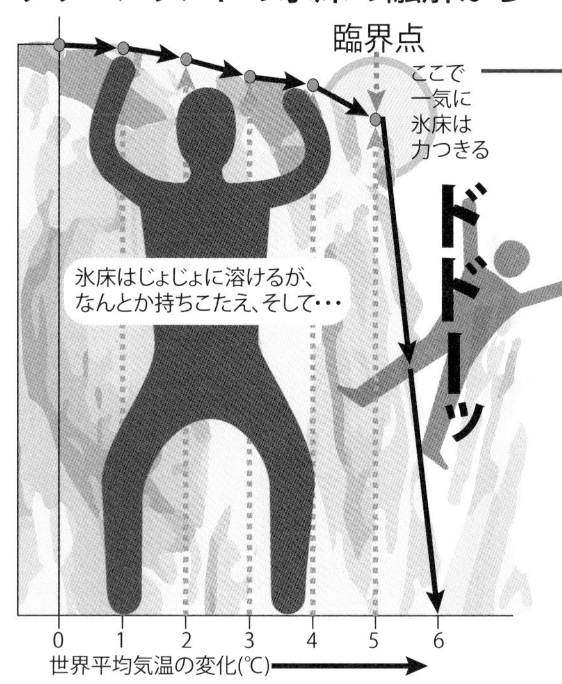

『気候カジノ　経済学から見た地球温暖化問題の最適解』(ウィリアム・ノードハウス著・日経BP社刊)を参考にしました

地球環境破綻へのいくつかの臨界点
それは水の危機と密接に結びつく

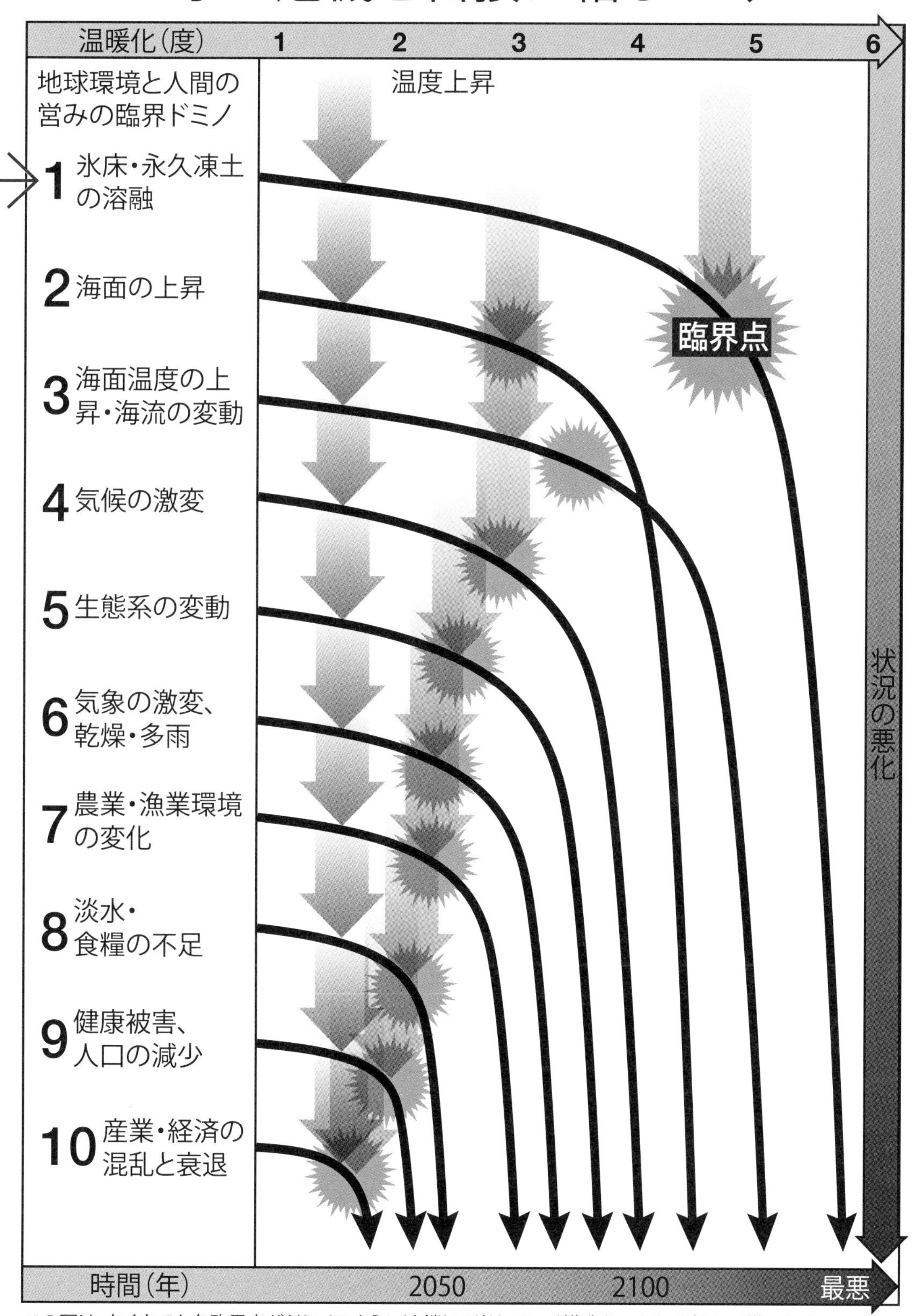

この図は、あくまでも各臨界点がドミノのように連鎖して崩れていく構造を、イメージとして描いたものです

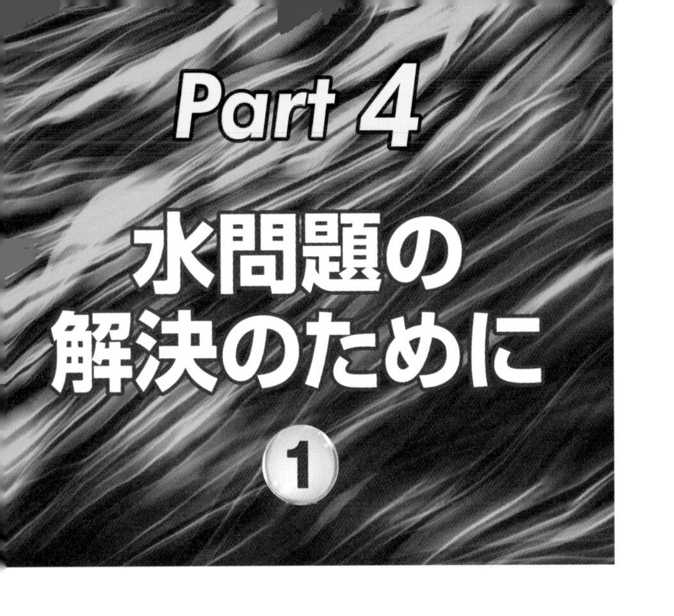

地球規模の水問題 まず何から取り組めばいいの？

人間がつくったシステムを見直す

水問題は、あまりにも幅広く、さまざまな要素がからみ合っているので、解決の糸

水問題を考えるときの問題の基本的な構造について

地球システムの変動
主として温暖化による
気候システムの変動
＋
人為的な利水・
治水システムの問題

非人為システム
人間のコントロールが及ばない領域

部分的人為システム
人間のコントロールが一部及ぶ領域

人為的システム
人間の力で全体をコントロールできる領域

水の危機

口を見つけるのは容易ではありません。

2018年ノーベル経済学賞を受賞したアメリカの経済学者ウィリアム・ノードハウスは、温暖化による気候変動を考えるとき、「非人為的システム」と「人為的システム」を区別する必要がある、と唱えています。非人為的システムとは、人間にコントロールできない領域。人為的システムとは、人間にコントロールできる領域を指します。その中間には、農業のように、自然の影響を受けながらも、人間が一部コントロールできる領域があります。

例えば、私たち人間には、自然災害を止めることはできません。けれども、災害に備えて、被害が少なくてすむようなシステムをつくることはできます。水問題を解決するためには、まず人間がつくった現在のシステムを見直し、必要に応じて変えていくことが重要です。次のページからは、具体的な取り組み例を見ていきましょう。

臨界点を超えかねない気候変動
気温の上昇、海面の上昇、海水の酸性化、乾燥と豪雨、生態系の変動、生物種の死滅など

自然と関わる人間の営み
農業、林業、漁業、治水、利水、防災、自然環境保護、野生動物保護など

人間がつくったシステム全体
産業・経済・金融システム、政治、国際連携、紛争調停・協議システム、社会生活インフラ、教育・医療・福祉システムなど

水危機を回避するための、具体的行動

まず人間は、この部分から始めなくては
何を? どうやって?

水をめぐる対立は協定によって解決できる

水資源の共同管理

水をめぐる問題のひとつに、水紛争（みずふんそう）があります。p14–15で見たように、複数の国を流れる国際河川（こくさいかせん）をめぐって、世界各地で水争いが起こっています。人間同士の争いこそ、人間がコントロールして解決しなければならない問題です。

かつては、自分の国の領土内にあるものは、川であっても自由に使う権利がある、という主張が支持されていたこともありました。しかし、上流の国が川の水を自由に使ってしまうと、下流の国に水不足や水質汚染（おせん）をもたらすことになりかねません。こ

川の流れは誰のもの?

1 上流の国のもの「絶対的主権論」

2 流域のみんなのもの「利益共同論」

この考えを実践するために

3 河川の共同管理

流域みんなで河川を管理する必要が認識された

1927年 最初の最小流量確保義務条約 ドウロ川水力発電規制条約

2010年 ナイル流域協力枠組み協定 (未成立)対立が続いている

4 関係国間での協定・条約の締結

利害国間で国際法上の約束が結ばれ、共同管理のための委員会が組織された

の不平等をなくすために、流域の国々が、川を共有財産として、共同で管理することが望まれるようになりました。

水戦争より話し合い

国際河川に関する国際条約としては、1997年の「国際水路の非航行利用に関する国連条約」がありますが、日本を含む多くの国々が批准していないため、まだ発効されていません。しかし、この条約が示した「公平性」と「他の国に重大な害を及ぼさない」という原則は、もはや世界の常識となりつつあります。

下の図に示したように、多くの国際河川では、流域の国々が、最低限必要な水を確保できるよう、協定や条約が結ばれるようになりました。そのため、現在では、暴力をともなう水戦争はめっきり減っています。

今後は、結ばれた協定や条約を各国が正しく守り、川の水量や国の状態が変わっても、公平な水配分が保たれるような枠組みづくりが求められています。

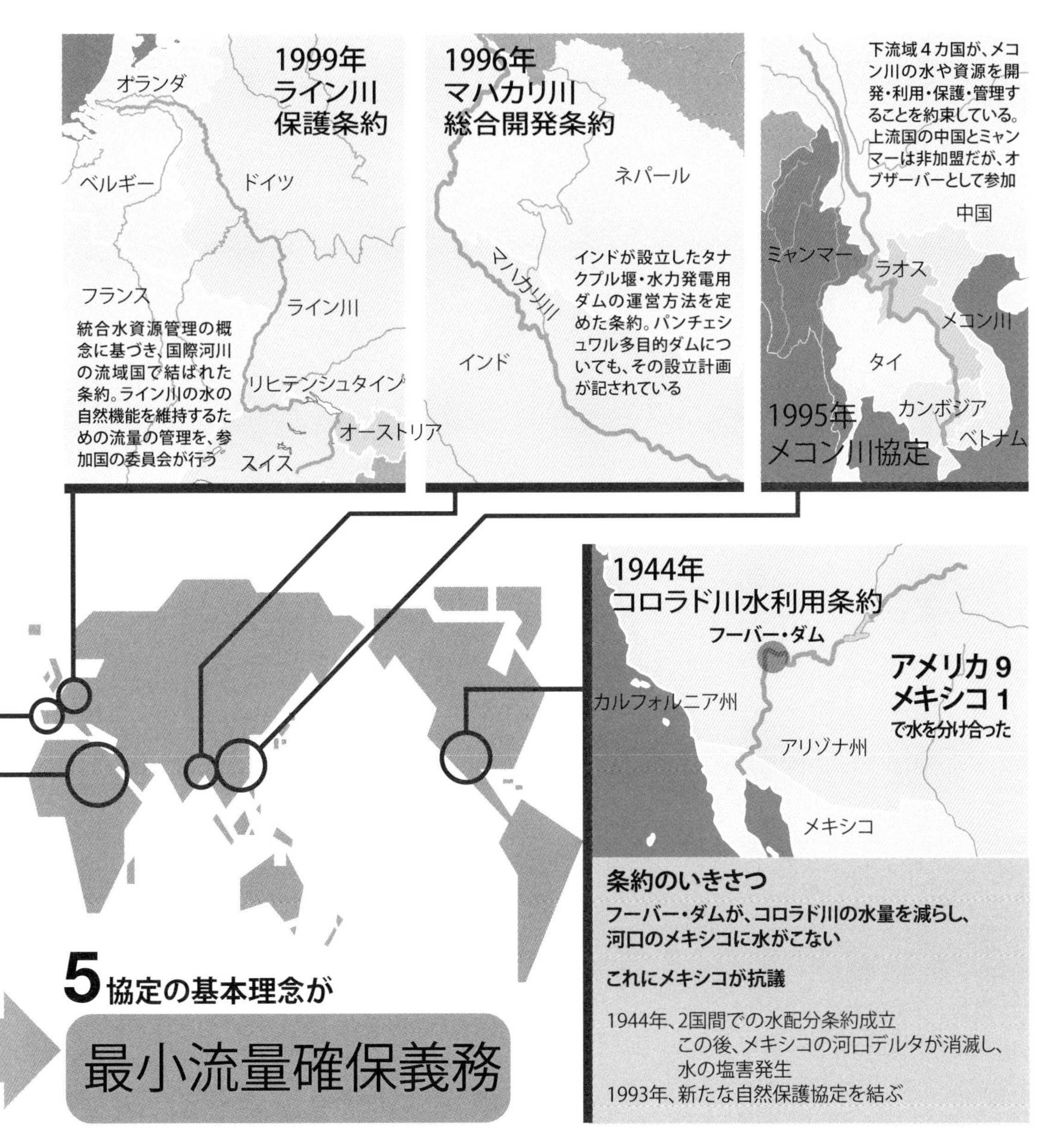

メガシティを水害から守る ニューヨークと東京の試み

マンハッタンに多機能堤防を

近年、大型ハリケーンによる被害が相次ぐアメリカでは、米国住宅都市開発省（HUD）が中心になって、防災強化が進められています。2012年、ニューヨークはハリケーン「サンディ」に襲われ、浸水によって都市機能が麻痺してしまいました。そこでHUDは水害に強い都市デザインを公募。コンペにより7つのプロジェクトが選ばれました。

そのうちのひとつ「ビッグU」プロジェクトは、世界金融の中心地であるマンハッタン南部を高潮から守るために、堤防の機能をもつ公園やショッピングモールをつく

New York

マンハッタン島を守る Big U プロジェクト

ハリケーン・サンディの被害を教訓とした

2012年にアメリカ東部を襲ったハリケーンはニューヨークを直撃。高潮と洪水で50万戸が停電し、交通機関も麻痺した

この災害をビジネスチャンスにニューヨーク市は1兆9000億ドルの巨大プロジェクトを始動

海からくる水を止める

高さ6mの壁を巡らせよう

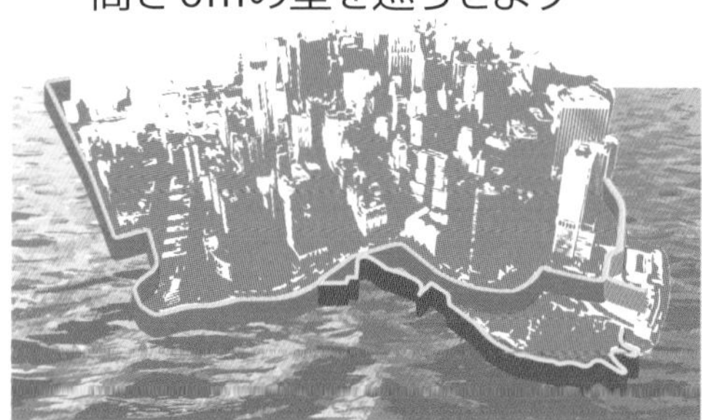

Big Uプロジェクトには低地の国オランダの防災の知恵が生かされている

でもただの壁ではない

多機能堤防だ

多彩な商業施設、公園、プール、水族館などが建設され、都市の活性化も図られる

デザインコンペも実施された

ニューヨーク市民も参加

るという画期的なもの。提案した専門家チームとニューヨーク市が協力し、住民の意見や地域経済、自然環境などを考慮しながら、再開発を進めています。

東京を水から守る地下プール

一方、東京を中心とした日本の首都圏では、過去の台風や豪雨の被害を教訓にして、巨大な防災施設がつくられています。

河川の多い首都圏では、洪水を上流で食い止めるために、いくつものダムや貯水池が設けられているのに加え、地下を利用した巨大な治水施設が完備しています。2006年に完成した首都圏外郭放水路は、地下50m、全長6.3kmに及ぶ世界最大級の放水路。低地にあって氾濫しやすい河川の洪水を受け止め、江戸川に流す役割を果たします。また、都心の地下には、河川から溢れた水を貯えるため、神田川・環状七号線地下調節池などの貯水池がいくつもあります。

2019年の台風19号の際も、これらの施設が機能して、都心を浸水から守りました。

海水から真水をつくる技術が砂漠に巨大都市を誕生させた

中東で始まった海水淡水化

アラブ首長国連邦第2の都市ドバイは、砂漠に誕生した近代的な大都市として、急速に発展しています。300万人を超える人口を支える水道水は、じつはほとんどが海水からつくられたものです。

雨の少ない中東の砂漠地帯では、水資源の多くを地下水に頼ってきました。しかし、急激な人口増加によって地下水が不足し、海水を真水（淡水）に変える技術が、注目を集めるようになりました。

初期の頃に導入されたのは、海水を蒸発させて塩分と分離する方法です。しかし、

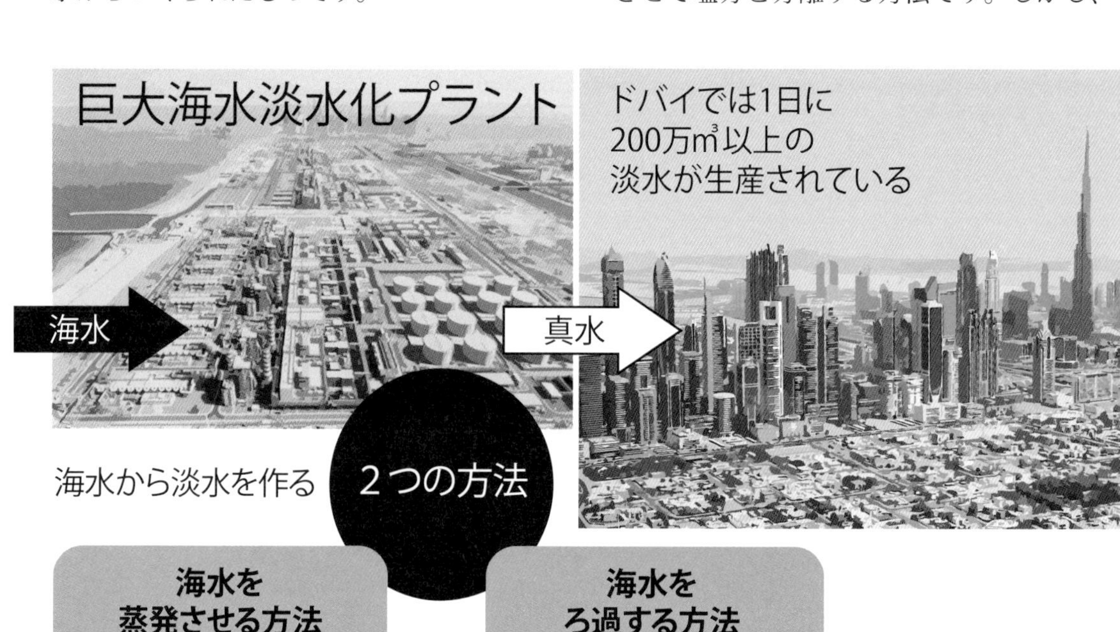

日本の企業は、この逆浸透膜の製造技術では世界に先行。生産量も**6割**を占める

日本が世界に貢献できる技術でもある

多段フラッシュ法

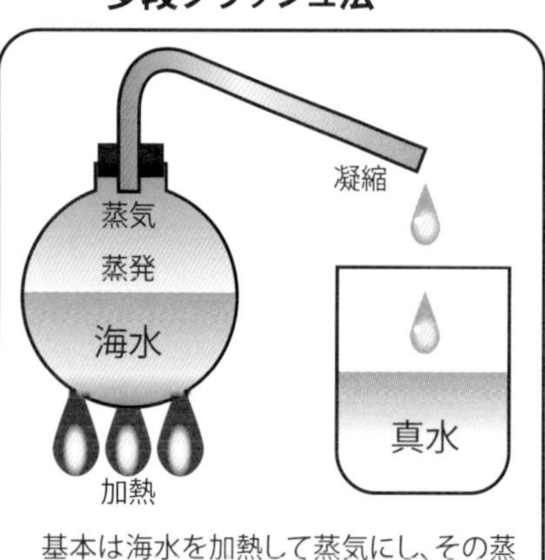

基本は海水を加熱して蒸気にし、その蒸気を冷やして真水にする。この方式には多大な熱エネルギーが必要。産油国などの裕福な国で用いられてきた

逆浸透膜方式

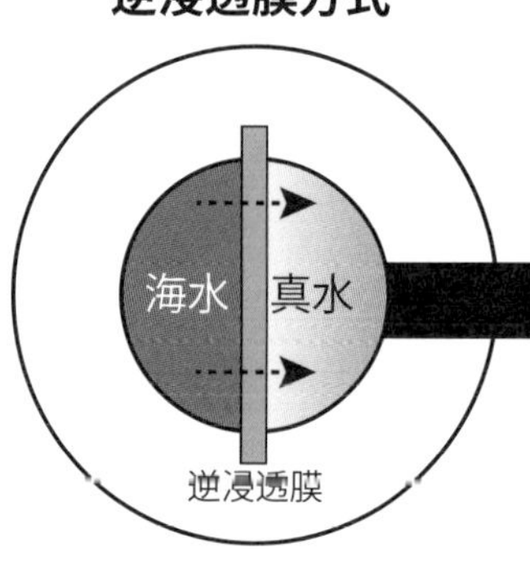

水のもつ浸透圧の性質を利用し、海水を物理的に真水にする方法。この働きをする逆浸透膜という特殊な膜の価格、性能がネックで大規模プラントに不向きだった。近年、その問題が改善され、中東諸国でも活用され始めている

この方法には、大量の熱エネルギーを必要とするという欠点がありました。

日本がリードする膜技術

現在、主流になっているのは、「逆浸透膜」と呼ばれる特別な膜を使って、海水をろ過する方法です。

一定の大きさ以下の分子しか通さない膜を「半透膜」といいます。濃度の異なる液体をこの半透膜で仕切ると、濃度の薄いほうから濃いほうへ、液体が浸透しようとする圧力が生じます。この「浸透圧」の性質を逆に利用して、濃度の濃い海水のほうに圧力をかけ、海水中の真水だけが通り抜けるようにつくられたのが、逆浸透膜です。日本は、この逆浸透膜の技術で世界をリードし、中東をはじめとする国々で、海水淡水化に貢献しています。

ただし、海水淡水化は、塩分濃度の高い排塩水を大量に出してしまうため、その処理法をめぐって、さらなる技術開発が求められています。

逆浸透膜の働きとは?

水のもつ拡散という性質を利用
水は異なった状態を均一化しようとする

例えば、
温かいコーヒーと
冷たい水のコップが
繋がっていたとすると

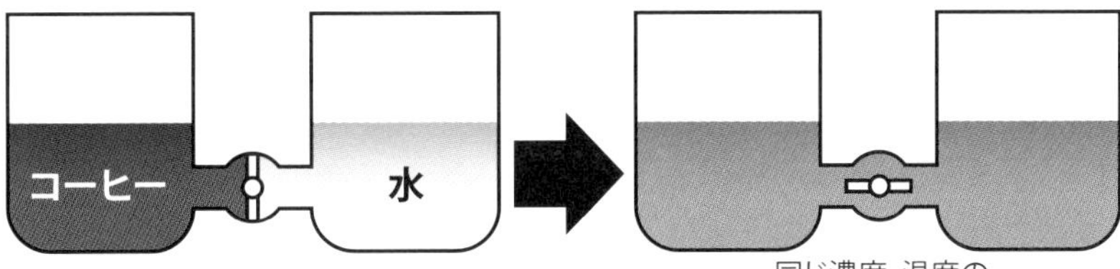

同じ濃度・温度の
アメリカンコーヒーになる

この間に半透膜を入れると

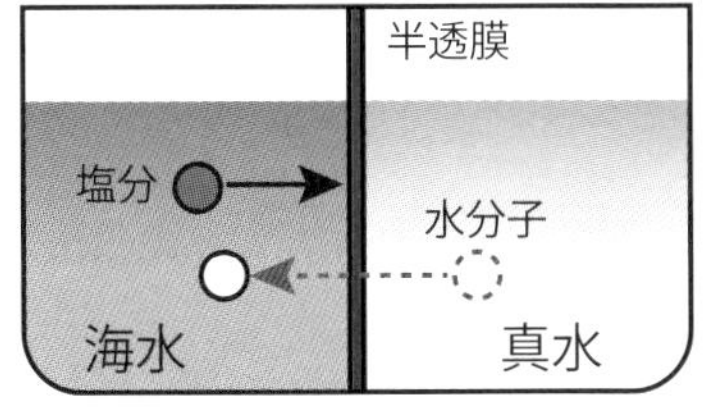

周りの分子を選択的に浸透させる性質を持つ膜。海水と淡水の場合は、塩分は透さず、水の分子は透す

真水の水分子が海水側に浸透していく

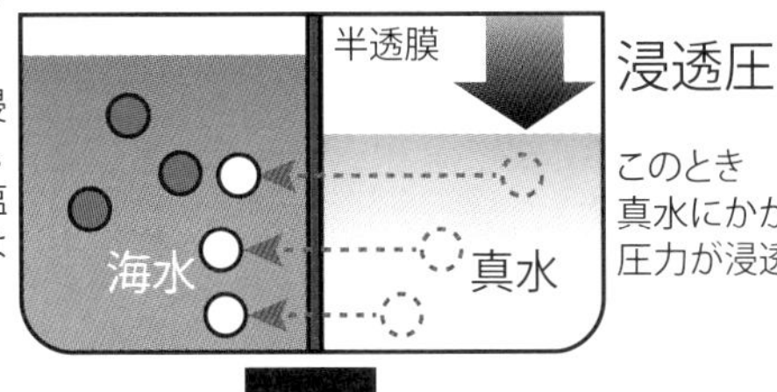

浸透圧

このとき
真水にかかる
圧力が浸透圧

そこで、今度は逆に海水に圧力をかけると

海水の側から水の分子が、真水の側に浸透する

半透膜
海水
真水

これが
逆浸透
膜方式

逆浸透膜(RO膜)の
製水ユニットの構造

逆浸透膜を巻いて、
細い筒状にして使用する

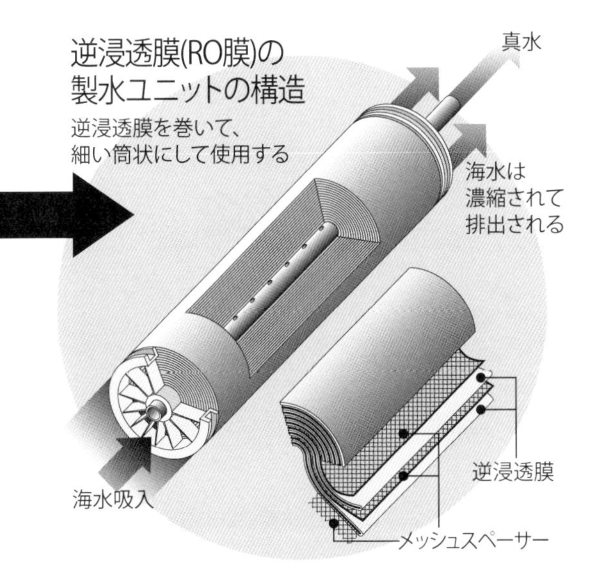

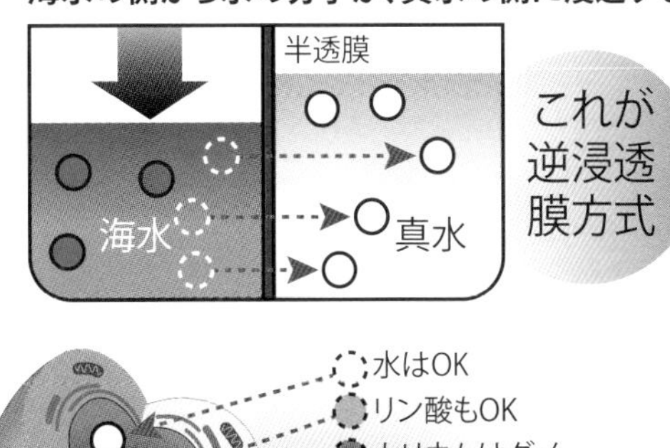

半透膜は生物の
細胞膜の機能を
模して作られている

途上国を悩ます汚れ水を飲み水に変える技術

 活躍する日本の水処理技術

水問題のなかでも、早急に解決しなければならないのが、途上国の水ストレスです。国連はSDGsの目標6として、すべての人に安全な水と衛生を届けることを掲げていますが、いまなお世界には、不衛生な水しか手に入らない人が6億人以上もいます。

経済的に豊かではない国々で、安全な水を持続的に得られるようにするには、費用がかからず、管理しやすい方法が望まれます。そのため、汚れた水を簡単に真水に変える技術が開発されており、この水処理の分野でも、日本の技術が活躍しています。

6 安全な水とトイレを世界中に

国連は2030年までに、すべての人々に安全な水を届けることを目標にしているが

すべての地域に、高額な浄水プラントをつくることは不可能

例えばアフリカの乾燥地帯の人たちが、導入できるシステムには、こんな条件があるだろう

- 導入費が安価であること
- 維持・管理が簡単であること
- 運用コストが安価であること
- 水の料金が安価であること

日本企業の持つ進んだ水処理技術で貢献したい

信州大学の中本信忠名誉教授が普及に努める「生物浄化法」は、水中の藻や微生物の働きによって水をきれいにする方法です。水をゆっくり砂の間に通してろ過する方法は、古くから「緩速ろ過法」という名で知られ、日本でも戦前は下水施設で用いられていました。これに着目した中本教授は、誰もが簡単な設備で浄水できる方法を、アジア太平洋地域の途上国に広めています。

同様の生物浄化法を用いた小型浄水装置は、ヤマハ発動機によっても実用化されています。また、水処理企業大手のメタウォーターは、独自の技術を用いた車載式セラミック膜ろ過システムを開発。水質浄化に取り組む大阪の企業、日本ポリグルは、納豆菌をもとにして、簡単に水をきれいにできる水質浄化剤をつくり出しています。

いずれの技術も、アフリカやアジアの途上国に導入され、現地の人々に安全な水を届けることに貢献しています。また、水害が増えているいま、災害時の飲み水確保に役立つ技術としても、注目を集めています。

1 生物浄化と緩速ろ過法

「第21回　日本水大賞」の「国際貢献賞」を受賞した、中本信忠信州大名誉教授の研究。電気・薬品を使用せず、安全な水を生み出した。自然界の生物群が水を浄化する仕組みをコンパクトな設備で再現した

生物浄化と緩速ろ過の概略図

原水貯留槽
荒ろ過砂利槽
砂利槽
砂利槽
浄水貯留槽
砂（微生物）
砂（微生物）
生物浄化槽

2 ヤマハクリーンウォーターシステムとして実用化

1996年から開発をスタートさせ、幅10m x 奥行8mのスペースに2000人の飲み水を作るコンパクトで、簡単な構造のシステムをアフリカ、東南アジアの国々に設置。地域の人々による水配達など新ビジネスの誕生、運営のための水委員会設立など自治能力の向上にもつながっている

インドネシア、カンボジア、ラオス、ミャンマー、スリランカ、そしてセネガルで実証実験を行い、現在アフリカでは10ヵ国で稼働（2020年3月時点）

写真提供：ヤマハ発動機株式会社

3 車載式セラミック膜ろ過システム

メタウォーター株式会社は、自社開発のセラミック膜によるろ過技術を使った車載式浄水システムを、カンボジアに納入している

写真提供：メタウォーター株式会社

4 日本の精密な給水管理技術で、途上国に貢献する

東京都水道局の子会社である東京水道株式会社は、培った水道管理技術をいかし、アジア各国の水道の水漏れ対策に貢献している

アフガニスタンの砂漠化した土地を緑に変えた中村哲医師

35年にわたる人道支援

2019年12月4日、日本人医師、中村哲さんがアフガニスタンで銃撃され、命を落とすという痛ましい事件が起こりました。国際NGOペシャワール会を率いる中村医師は、政情不安なアフガニスタンのために、35年もの間、尽くしてきました。その活動は、医療にとどまらず、水資源の確保や灌漑事業、農業支援にまで及んでいました。

中村医師が、アフガニスタンとの国境に近いパキスタン・ペシャワールの病院にハンセン病患者を診療する目的で赴任したのは、1984年のこと。アフガニスタンは、1979年にソ連軍の侵攻を受け、多くの人々が国外に逃れていきました。中村医師は、こうしたアフガン難民を支援するために、アフガニスタン国内に診療所をいくつも開設しました。

用水路をつくり、緑の大地に

1989年にソ連軍が撤退したあとも、政治的混乱は続き、そのうえ毎年のように干ばつが発生。2000年の大干ばつは、水不足を一挙に深刻化させました。不衛生な水を飲んで赤痢やコレラにかかる人や、作物が育たず、飢えに苦しむ人を見て、中村医師は、「薬では、飢えや乾きは治せない」と確信。そして始めたのが、井戸を掘る活動でした。

2003年までに、飲み水用の井戸約1600本、灌漑用の井戸13本などを整備。さらに用水路をつくって農地を灌漑し、1万6500haもの砂漠化した土地を緑の大地に変えることに成功します。こうした功績が認められ、アフガニスタン大統領から勲章が授与された翌年に、悲劇は起こりました。

水支援のあるべき姿

中村医師だけでなく、1人のドライバーと4人のガードも亡くなりましたが、犯行グループの正体や動機は、まだわかっていません。紛争の絶えない地で、命の危険を冒して支援を続けることは、誰にでも真似できることではありませんが、中村医師が残した緑の大地は、私たちに命の水を届けることの大切さと、水支援のあるべき姿を教えてくれます。

武器ではなく、命の水を!!
アフガニスタンは主に武装した
6つの部族が割拠する、中世の
ままの政治支配のもとにあった
1979年
ソ連軍侵攻
タジク人
ウズベク人
カブールの共産
党政権の危機に、
ソ連が介入した
ヌーリスタン人
世界のイスラム諸国から義勇軍
(ムシャーヒディーン)がゲリラ戦を戦う
1989年
ソ連軍撤退
カブール
ジャララバード
アイマック人
ハザラ人
強固な軍閥
パシュトゥン人の
支配地区
パシュトゥン人
1988
アル・カーイダ誕生
オサマ・ビン・
ラーディンも
義勇軍兵士
だった
1994年
タリバーン誕生
1996年
タリバーン、カブールを制圧
2001年9.11同時多発テロ
2003年
多国籍軍進駐
以来内戦が続く
内戦が継続する
タリバーン政権瓦解
アメリカが支援する
カイザル暫定政権誕生
タリバーン組織復活
イスラム国ISも侵入
アメリカ軍撤退を表明
アフガニスタンの治安悪化
中国
アフガニスタン
パキスタン
ネパール
インド
中村医師
1984年
ペシャワール赴任
現地医療支援始まる
アフガニスタン
カブール
パキスタン
クナール川
ジャララバード
ペシャワール
カイバル峠
中村医師が造った
灌漑用水路
ガンベリ砂漠
クナール川
ジャララ
バード
中村医師はここに
25kmに及ぶ用水路を
建設し、1万6,500ヘク
タールの土地を灌漑
この大地に麦が実り、
65万人の人々が
暮らせるようになった

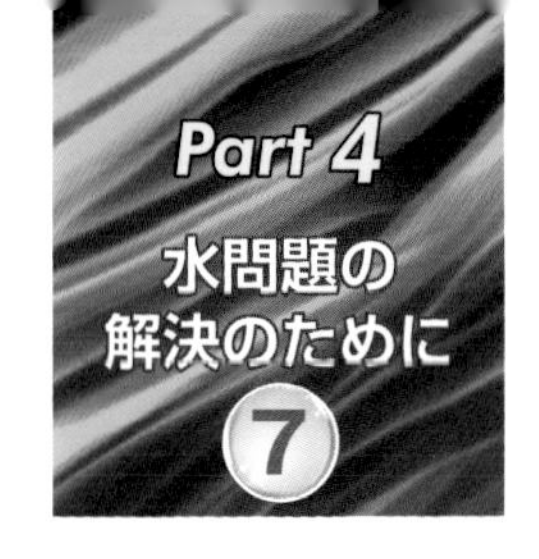

水素エネルギーは CO_2 削減の切り札になる？

燃やしてもCO_2を出さない水素

水問題の大きな原因のひとつは、温暖化です。p50–51で見たように、温暖化は、人間が化石燃料を燃やし、二酸化炭素（CO_2）などの温室効果ガスを大量に放出するようになってから、急速に進んでいます。

温暖化を食い止めるためには、世界全体で CO_2 を減らしていく必要があります。その手段のひとつとして、注目を集めるのが「水素エネルギー」です。

水素は燃やしてもCO_2を発生しません。しかも水素は、水はもちろん、さまざまな物質に含まれ、地球上に豊富に存在します。

水から電気をつくるしくみ

1 水から水素をつくる

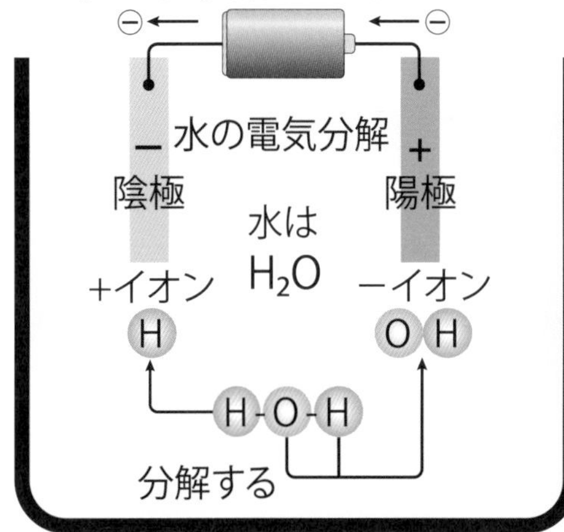

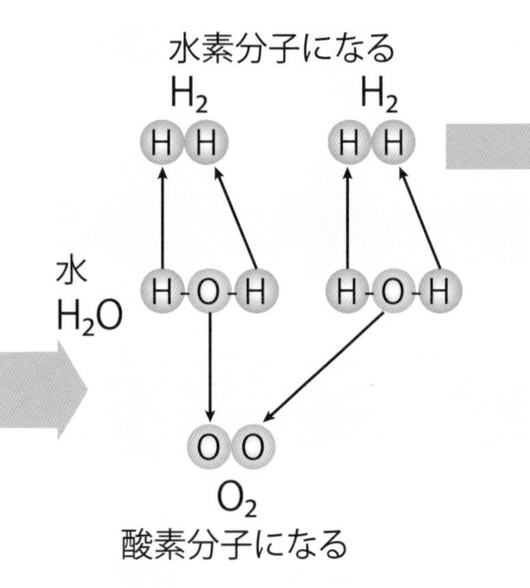

このとき必要な電気は？

再生可能エネルギーからつくった電気を使用する

ドイツでも始まっている Power to gas

余剰電力を水素にして貯め、ガスに変換する。
上はキャンペーンCMの一場面

上下水道システムでも水素を取り出せる

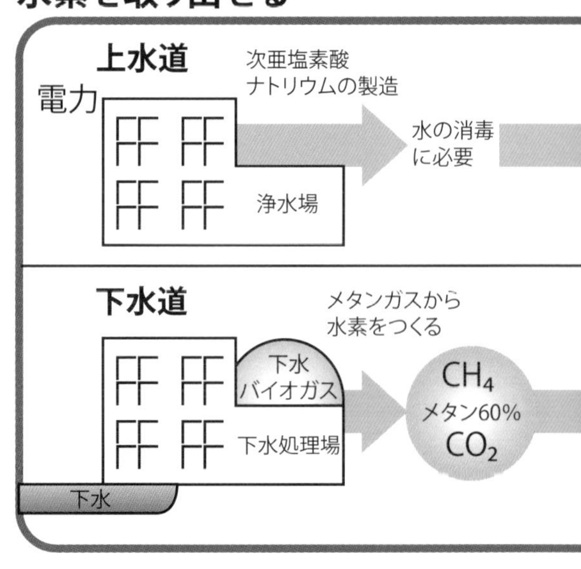

この水素を使って、発電などに利用するのが、水素エネルギーです。

水から電気をつくる

水から水素を取り出すためには、電気を加えて水素と酸素に分解します。いわゆる電気分解です。このときに使う電気が、石油や天然ガスを燃やしてつくったものだと、CO_2を排出してしまうため、現在は、太陽光や風力などの再生可能エネルギーを使う方法が模索(もさく)されています。

水素から電気をつくるには、先ほどの電気分解とは逆に、水素と酸素を化学反応させて、電気を発生させます。このときに排出されるのは水だけです。

下に示したように、水素エネルギーの利用法は2種類あります。ひとつは、水素を燃やして電気を取り出す水素発電。もうひとつは、電気を貯めておき、必要なときに発電できるようにした燃料電池(ねんりょうでんち)です。

次のページでは、水素エネルギーの実用例を、さらに詳しく見ていきましょう。

2 水素から電気をつくる

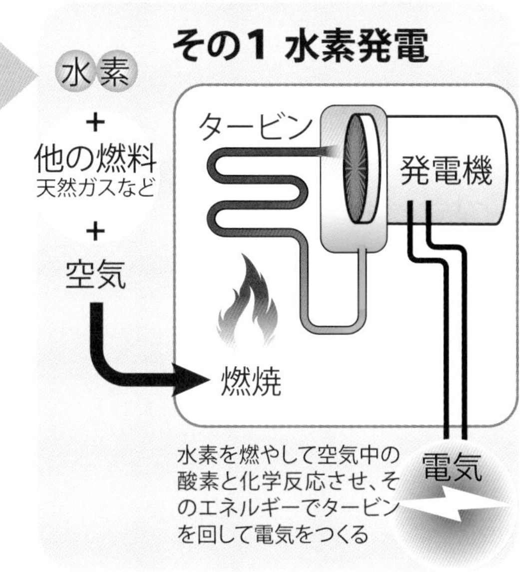

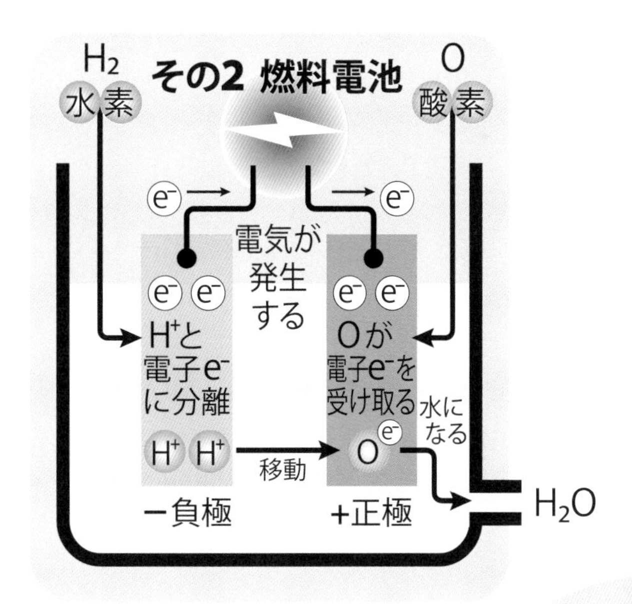

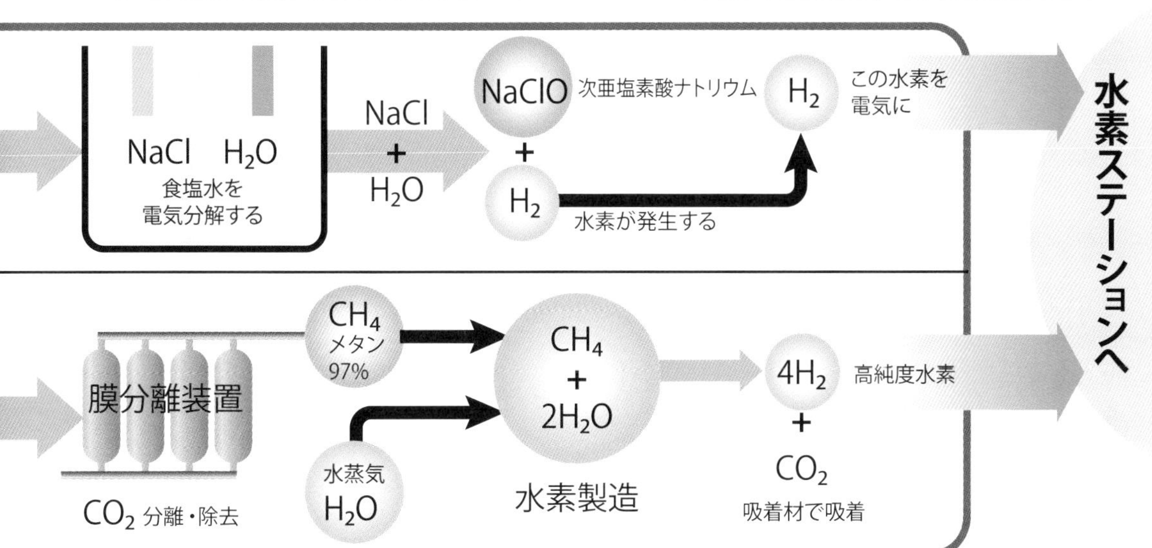

持続可能な暮らし方 水素社会がやってくる

実用化される水素エネルギー

水素(すいそ)エネルギーの開発は、以前から進められていましたが、水素を取り出す際に大量の電力を必要とすることや、新しいシステムをつくるのに費用がかかりすぎることなどから、実用化は難しいとされてきました。しかし、近年、急速に技術が進歩し、次々と課題が克服(こくふく)されています。水素はCO_2を出さない次世代エネルギーとして期待され、近い将来、水素社会がやってくるともいわれています。

水素は水だけではなく、下水汚泥(げすいおでい)や食品廃棄物(はいきぶつ)、家畜の排(はい)せつ物(ぶつ)といったバイオマ

水素社会実現への課題は大きく２つ

1 水の電気分解に、莫大な電気が必要。その電気は？

2 水素の液化、輸送コストが高額すぎる

1 についての解決の努力

水素調達方法の多様化を図っている

- ❶再生可能エネルギーを電気分解に使う
- ❷バイオマスから水素を得る
- ❸工業生産から出る副産物から水素を得る
- ❹化石燃料のエタノールから水素を得る
- ❺褐炭から水素を得る

オーストラリアの、現在利用価値のない褐炭から水素をつくり、日本に運ぶ方法が考えられている

2 についての解決の努力

貯蔵・輸送法の改良

- これまでは–253度の超低温で800分の1に圧縮して輸送。現在は、常温・常圧での水素輸送が可能になりつつある

未来の水素都市

CO_2ゼロ社会を実現する、さまざまな都市インフラ

ス（動植物からつくられる有機化合物）、褐炭と呼ばれる低品質の石炭などにも含まれています。日本のように資源が乏しく、化石燃料を輸入している国でも、自前のエネルギーをつくることができるのです。

東京五輪でも水素を活用

水素社会実現に向けた取り組みは、日本ですでに始まっています。ガスから取り出した水素で発電する家庭用燃料電池「エネファーム」は、その一例です。

2020年の東京オリンピックでは、聖火台や聖火リレーのトーチに、大会史上初めて水素が使われます。選手村周辺では、福島県の再生可能エネルギーで製造された水素を使った発電、水素で走る燃料電池車、その車両に水素を供給する水素ステーションなどが整備される予定です。

水素社会の実現に向けた取り組みは、今後、世界各国で一層進んでいくでしょう。温暖化を抑制し、水危機を回避するために、いま人類は英知を結集させています。

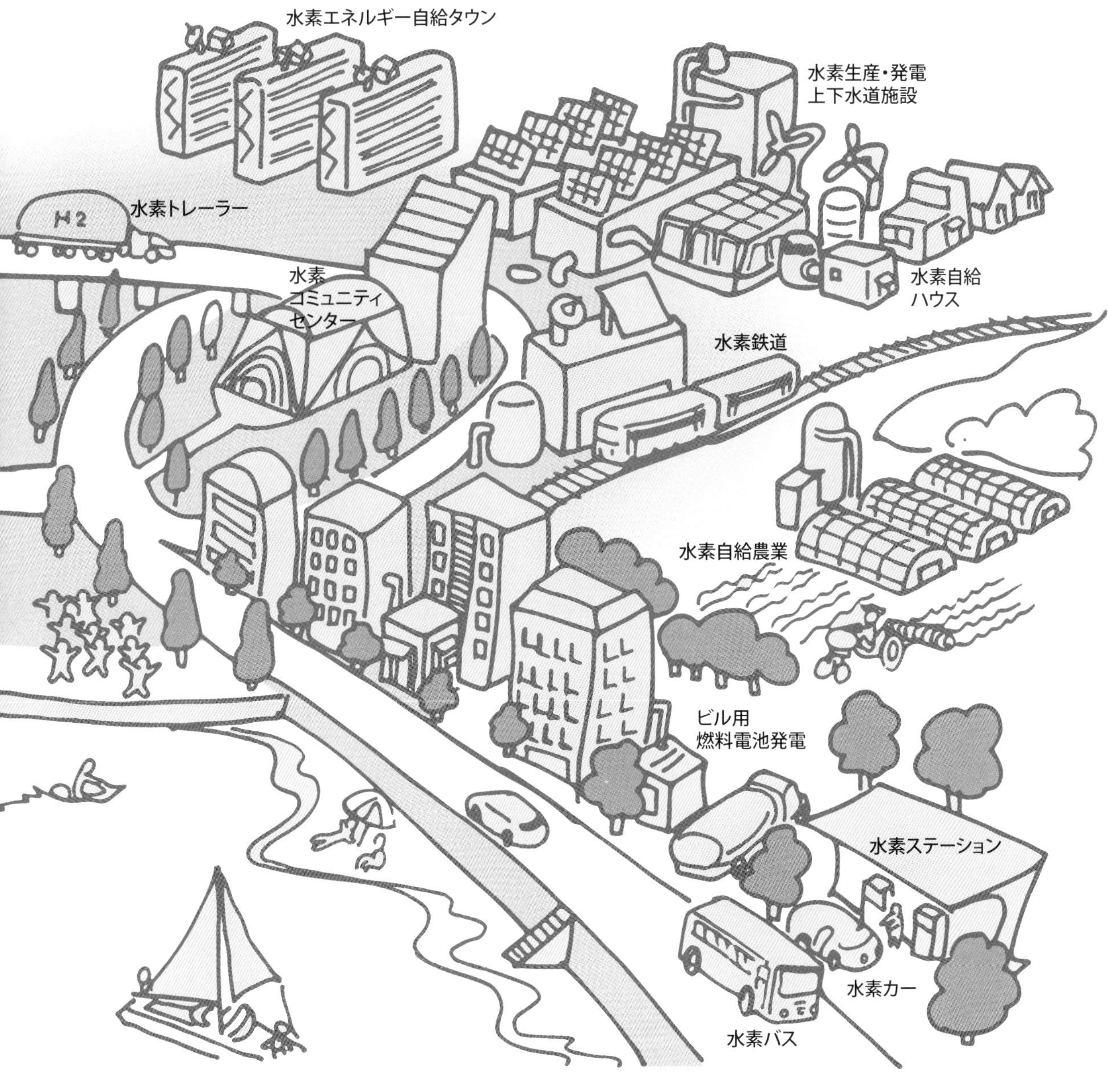

地球の水を守るために いま私たちにできること

節水もCO_2削減につながる

世界規模の水危機は、決して遠いよその国の問題ではありません。水を通して世界はつながっています。水問題を解決するために、私たちに何ができるでしょう。

例えば、水不足に苦しむアフリカの子どもたちを、直接助けることはできなくても、寄付という形で支援することなら私たちにもできます。もっと身近なところでは、水を使いすぎないことや、油などの汚れを下水に流さないことも大切です。上下水道の設備には電力が使われているので、水道水の節約は、CO_2削減にもつながるのです。

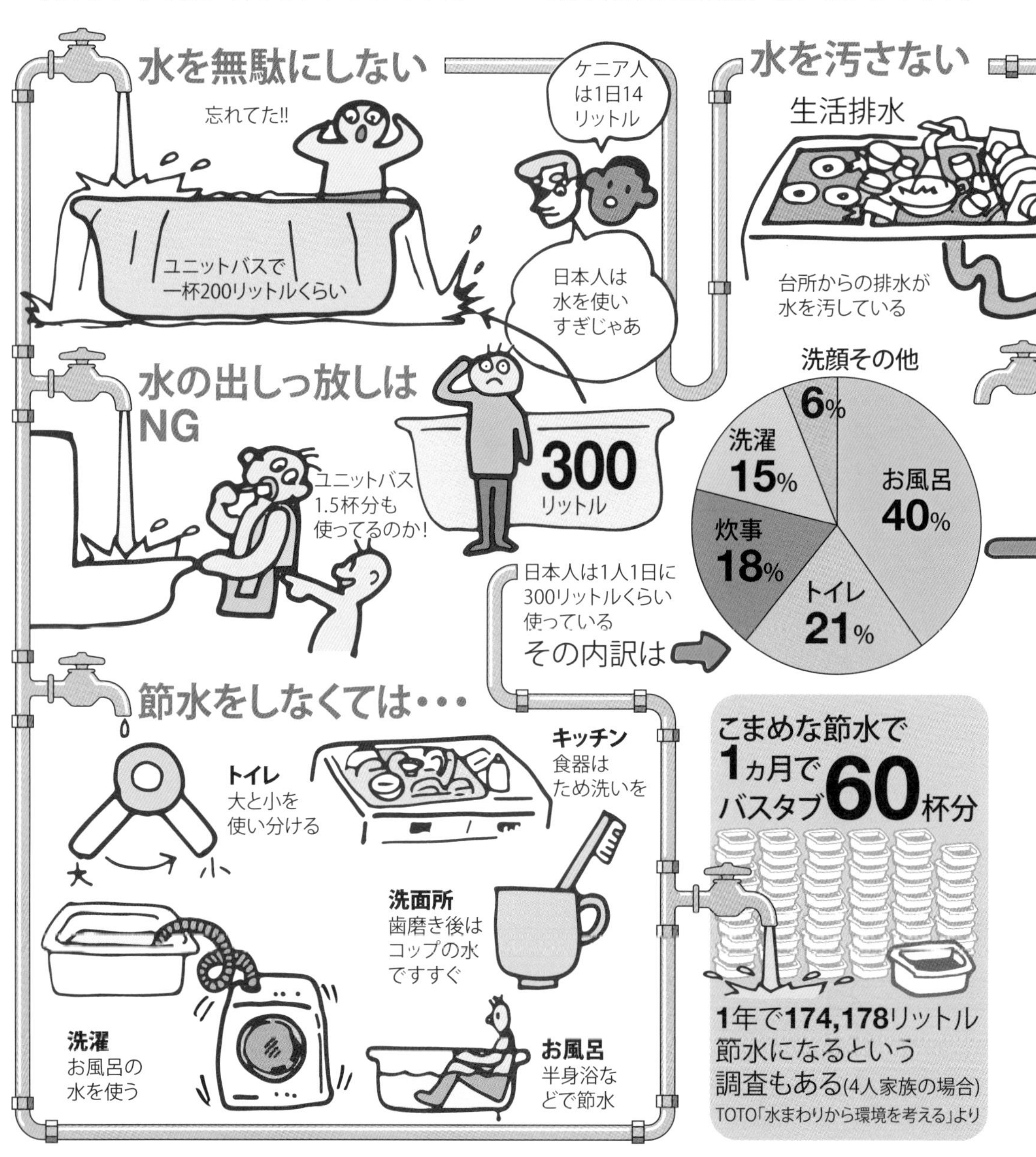

エシカル消費の心がけ

欧米の都市部では、いま「水を買わない」運動が広まりつつあります。ボトル入り飲料水を買うのをやめ、マイボトルに水を入れて持ち歩こう、という運動です。この運動の目的は、海や川を汚すペットボトルごみを減らすこと。また、大量のボトルウォーターをつくるために、むやみに水源が荒らされるのを防ぐことにもつながります。

このように、製品が、どこでどのようにしてつくられ、どのように捨てられるかまで考え、環境や社会に配慮したものを選んで買うことを「エシカル(倫理的)消費」といいます。例えば、バーチャルウォーターを考えて、国産品を買う。水環境の保全やCO_2削減に取り組む企業の製品を買う。こうしたエシカル消費を心がけることも、水問題の解決を後押しするでしょう。

私たち一人ひとりにできることは小さくても、地球の水を守るために、世界の人々が連携することが、いま求められています。

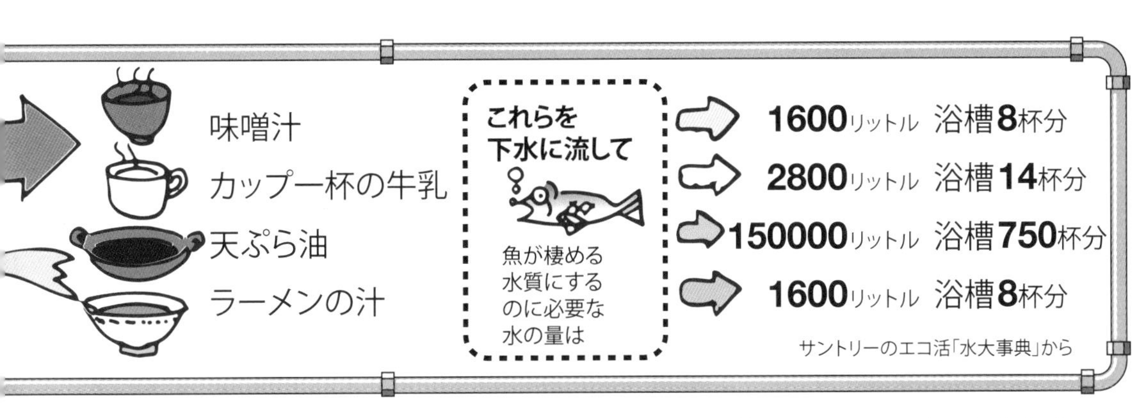

水の使用量の増加は高止まりしている

350 / 300 / 250 / 200 / 150 / 100 / 50 / 0

1965 70 80 90 2000 10 15

厚生科学審議会資料より

水問題を抱える人々を支援する

水問題に取り組むNPOなどに寄付を

水問題に取り組む企業の製品を買う

災害ボランティアに参加

そして、何よりもこれ以上CO_2を出さない暮らしをしなくては!!

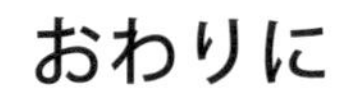

おわりに
人類が引き起こした水問題を解決できるのは人類だけ

日本語には「水に流す」という慣用句があります。厄介な揉めごとを、水で流し去るようになかったことにして、争いを丸く収めることをいいます。

しかし日本人は、日本の高度経済成長期に、この「水で流す」ことで大失敗をしました。全国の工業施設が排出する汚染物質を、「水に流して」、なかったことにしたのです。河川の水は、重金属や化学物質が含まれた工業排水や生活排水で汚染され、生態系を壊滅し、流域の人々を深刻な健康被害にさらしました。

この反省から、日本人は厳しい基準の公害対策を実施して、国土の自然環境を改善する努力を続けてきました。現在、都市河川にサケやアユが遡上するのは、こうした努力の賜物です。

しかし、これで安心するのは早計でした。気がつくと世界は地球温暖化に見舞われています。200年前にイギリスで始まった産業革命以来、人類は二酸化炭素を排出し続けてきました。厄介ごとを、水ではなく「空に流す」行為を延々と続けていたわけです。

地球は巨大な水の循環システムです。このシステムは二酸化炭素の循環システムとも密接に連動し、地球上の気候を一定に保つ機能を果たしてきました。いま、この循環システムが、もう厄介ごとを「水にも」「空にも」流すことは無理だと警告しています。人間がつくった厄介ごとは、人間が解決する以外ありません。それができなければ、地球のシステムは、人間が生きられないシステムに移行してしまいます。こんな厄介ごとを「水に流して」、厄災を置き土産にする世代に対して、若い世代が怒るのは当然でしょう。

SDGsが目指す2030年までの10年間で、私たちがしなければならないことは、明らかです。それは日本語の「水に流す」を死語にすることでもあるのです。

参考文献

『水の世界地図』（マギー・ブラック、ジャネット・キング著、沖大幹監訳、丸善刊）
『水と人類の1万年史』（ブライアン・フェイガン著、河出書房新社刊）
『気候カジノ 経済学から見た地球温暖化問題の最適解』（ウィリアム・ノードハウス著、日経BP社刊）
『水の歴史』（ジャン・マトリコン著、沖大幹監修、創元社刊）
『水の未来』（フレッド・ピアス著、日経BP社刊）
『渇きの考古学ー水をめぐる人類のものがたり』（スティーヴン・ミズン著、青土社刊）
『地球温暖化図鑑』（布村明彦、松尾一郎、垣内ユカ里著、文溪堂刊）
『シルクロードの水と緑はどこへ消えたか？』（日高敏隆、中尾正義編、昭和堂刊）
『ウォーター・マネーー石油から水へ 世界覇権戦争』（浜田和幸著、光文社刊）
『ミネラルウォーター・ショックーペットボトルがもたらす水ビジネスの悪夢』（エリザベス・ロイト著、河出書房新社刊）
『温暖化の世界地図』（カースチン・ダウ、トーマス・ダウニング著、丸善刊）
『日本は世界一の「水資源・水技術」大国』（柴田明夫著、講談社刊）
『土木と文明』（合田良實著、鹿島出版会刊）
『イラスト図解 イスラム世界』（私市正年監修、日東書院本社刊）
『ヨーロッパ交通史 1750-1918 年』（サイモン・P・ヴィル著、文沢社刊）
『水運史から世界の水へ』（徳仁親王著、NHK 出版刊）
『路地裏の大英帝国 イギリス都市生活史』（角山榮、川北稔編、平凡社刊）
『ヴィクトリア朝英国人の日常生活 貴族から労働者階級まで 上』（ルース・グッドマン著、原書房刊）
『地球にやさしい生活術』（ジョン・シーモア、ハーバート・ジラード著、TBSブリタニカ刊）
『2030 年の世界地図帳』（落合陽一著、SBクリエイティブ刊）
『地球はなぜ「水の惑星」なのか』（唐戸俊一郎著、講談社刊）

参考サイト

●国際連合広報センター　https://www.unic.or.jp/
●日本ユニセフ協会　https://www.unicef.or.jp/
●環境省　http://www.env.go.jp/
●気象庁　https://www.jma.go.jp/
●経済産業省・資源エネルギー庁　https://www.enecho.meti.go.jp/
●国土交通省　http://www.mlit.go.jp/
●農林水産省　https://www.maff.go.jp
● JICA 国際協力機構　https://www.jica.go.jp/
●農研機構　http://www.naro.affrc.go.jp/index.html
●ペシャワール会　http://www.peshawar-pms.com/
● UN Water　https://www.unwater.org/
● International Bottled Water Association　https://www.bottledwater.org/
● Water Footprint Network　https://waterfootprint.org/en/
● Flood Maps　http://flood.firetree.net/
● Sustainable Japan　https://sustainablejapan.jp/
● Forbes Japan　https://forbesjapan.com/articles/detail/31758
● Nautilus Institute　https://nautilus.org/
● WIRED　https://wired.jp/2015/03/14/flooding-predictions-2030/
●水ビジネス・ジャーナル　http://water-business.jp/news/
●日立評論　http://www.hitachihyoron.com/jp/index.html
●古代ローマライブラリー　https://anc-rome.info
●ミツカン水の文化センター　http://www.mizu.gr.jp/
●スマートジャパン　https://www.itmedia.co.jp/smartjapan/
●地球環境研究センター　https://www.cger.nies.go.jp/ja/
● WWF ジャパン　https://www.wwf.or.jp
●国連環境計画　https://ourplanet.jp
●日経ビジネス世界観測 北村豊の「中国・キタムラリポート」　https://business.nikkei.com/article/world/20060406/101059/
● Record China　https://www.recordchina.co.jp
●ナショナル ジオグラフィック　https://natgeo.nikkeibp.co.jp
●ニューズウィーク日本版　https://www.newsweekjapan.jp/

索 引

著 インフォビジュアル研究所

2007年より代表の大嶋賢洋を中心に、編集、デザイン、CGスタッフにより活動を開始。多数のビジュアル・コンテンツを編集・制作・出版。主な作品に、『イラスト図解 イスラム世界』（日東書院本社）、『超図解 一番わかりやすいキリスト教入門』（東洋経済新報社）、「図解でわかる」シリーズ『ホモ・サピエンスの秘密』『14歳からのお金の説明書』『14歳から知っておきたいAI』『14歳からの天皇と皇室入門』『14歳から知る人類の脳科学、その現在と未来』『14歳からの地政学』『14歳からのプラスチックと環境問題』（いずれも太田出版）などがある。

企画・構成・執筆	大嶋 賢洋 豊田 菜穂子
イラスト・図版制作	高田 寛務
イラスト	二都呂 太郎
カバーデザイン・DTP	玉地 玲子
校正	鷗来堂

図解でわかる
14歳からの水と環境問題

2020年4月30日 初版第1刷発行
2023年8月20日 初版第4刷発行

著者　インフォビジュアル研究所

発行人　岡 聡
発行所　株式会社太田出版
〒160-8571 東京都新宿区愛住町22 第三山田ビル4階
Tel.03-3359-6262　Fax.03-3359-0040
http://www.ohtabooks.com
印刷・製本　中央精版印刷株式会社

ISBN978-4-7783-1704-1　C0030